El sendero mágico

MARC ALLEN

El sendero mágico

Crea la vida de tus sueños
y un mundo adecuado para todos

EDICIONES OBELISCO

Si este libro le ha interesado y desea que le mantengamos informado
de nuestras publicaciones, escríbanos indicándonos qué temas son de su interés
(Astrología, Autoayuda, Ciencias Ocultas, Artes Marciales, Naturismo, Espiritualidad,
Tradición…) y gustosamente le complaceremos.

Puede consultar nuestro catálogo en www.edicionesobelisco.com.

Colección Éxito
El sendero mágico
Marc Allen

1.ª edición: febrero de 2014

Título original: *The Magical Path*

Traducción: *Ainhoa Pawlowsky*
Maquetación: *Marga Benavides*
Corrección: *M.ª Jesús Rodríguez*
Diseño de cubierta: *Enrique Iborra*

© 2012 Marc Allen
(Reservados todos los derechos)
Primera edición en lengua inglesa publicada por New World Library, USA.
© 2014, Ediciones Obelisco, S. L.
(Reservados los derechos para la presente edición)

Edita: Ediciones Obelisco, S. L.
Pere IV, 78 (Edif. Pedro IV) 3.ª planta, 5.ª puerta
08005 Barcelona - España
Tel. 93 309 85 25 - Fax 93 309 85 23
E-mail: info@edicionesobelisco.com

Paracas, 59 - Buenos Aires
C1275AFA República Argentina
Tel. (541 - 14) 305 06 33
Fax: (541 - 14) 304 78 20

ISBN: 978-84-15968-35-1
Depósito Legal: B-2.422-2014

Printed in Spain

Impreso en España en los talleres gráficos de Romanyà/Valls S. A.
Verdaguer, 1 - 08786 Capellades (Barcelona)

Dedicado a ti
y a todos los que habéis realizado mis cursos
por vuestro amor y reconocimiento
y, lo mejor de todo, por vuestras inagotables historias milagrosas.

Que el Espíritu nos guíe
en todo momento
en nuestros pensamientos, palabras
y acciones.

Y los milagros acontecerán, uno tras otro,
y las maravillas nunca cesarán
porque todas nuestras expectativas
son para el mayor beneficio de todos.

Agradecimientos

Este trabajo debe mucho a muchas personas. El gran libro de Israel Regardie, *El arte de la verdadera curación*, fue el que me situó en el sendero mágico. Las enseñanzas de KatsukiSekida sobre la belleza del zen, así como su gran obra, *Two Zen Classics*, me ayudó a despojarme de muchas ansiedades, dudas y temores que en ocasiones parecían casi abrumadores. Y fue en el taller de fin de semana de Ken Keyes Jr., autor de *Hacia la expansión de la conciencia*, que descubrí cómo analizar y cambiar muchas de mis creencias más arraigadas.

La pequeña obra maestra de James Allen, *Como un hombre piensa, así es su vida*, me ayudó a fijar mi rumbo, y el estudio durante un fin de semana de lo que por entonces se llamaba Silva Mind Control (y ahora se llama Silva MindBodyHealing, ¡un nombre mucho mejor!) me dio algunas de las herramientas mágicas de este libro, como las de hallar el propio Santuario y Guía Interior.

Gracias a BuckminsterFuller, RianeEisler y Barbara Marx Hubbard por su visión y consejos. Ellos me han ayudado a comprender que es completamente posible crear un mundo adecuado para todos.

Gracias a Kristen Cashman y a Mark Colucci por su excelente trabajo de edición. Este libro ha mejorado con creces gracias a su contribución. Gracias a todos los empleados de New World Library y PublishersGroup West por su maravillosa labor en la publicación de este libro y su lanzamiento al mundo.

Y, por último, a mi mujer Aurilene: gracias por tu amor y apoyo y por darme el tiempo y el espacio que necesito para hacer proyectos como éste. Y a mi hijo Kai: me has dado mucho más de lo que jamás llegarás a saber (a menos que algún día tengas la bendición de tener tu propio hijo).

Este libro está dedicado a todos los que tienen la mente lo bastante abierta como para leerlo y a todos los que han realizado mis cursos. Gracias por vuestro amor y vuestro agradecimiento y, lo mejor de todo, vuestras inagotables historias milagrosas.

Una nota para los lectores

Me he sentado, he reflexionado, he dado un paseo y he cavilado sobre si escribir este libro en un tono completamente impersonal, sin mencionarme en ningún aspecto, sino simplemente ofreciendo los principios y las prácticas de la magia moderna, o si debía incluir las historias de mi vida y de la vida de otros, con un toque más personal.

Durante años, muchas personas me han dicho que las historias personales que les cuento les han ayudado a obrar más fácilmente con su propia magia, de modo que he decidido incluirlas. Sin embargo, no son lo esencial de este libro. Ninguna de estas palabras es tan importante, sino que lo que cada uno haga con estas palabras es lo que determinará por completo su vida.

Si hay alguna parte de este libro que no te gusta, puedes pasar a otra. Contiene mucho material, y no todo va a gustar a todo el mundo. Escribo con diferentes registros en momentos distintos, y tal vez prefieras algunos que otros. Lo que escribo durante el día es diferente de las palabras que fluyen en mitad de la noche. No sientas que tienes que leer todo este libro de principio a fin. Vaga por él, realiza algunas prácticas y encuentra lo que te sirva.

Quédate con lo que necesites
y deja el resto.

Cuando estás inspirado
por algún gran propósito,
por algún proyecto extraordinario,
todos tus pensamientos rompen sus cadenas.
Tu mente supera las limitaciones,
tu conciencia se expande en todas direcciones,
y te encuentras en un mundo nuevo, grande
y maravilloso.
Las fuerzas, facultades y talentos latentes cobran vida,
y descubres que eres una gran persona, mucho más de lo que
jamás has soñado ser.

PATANJALI (ca. 250 a.C.)

Introducción

Un sendero mágico

El sendero mágico es un atajo, un sendero que llega a su destino rápidamente y, por este motivo, es atractivo y útil para un gran número de personas, entre ellas artistas, jóvenes, personas que trabajan demasiado, personas mal pagadas, personas que se sienten abrumadas o personas irremediablemente holgazanas.

El sendero mágico es un camino directo al éxito, sea como sea que uno desee definirlo. En él, se trabaja directamente con las fuerzas creativas del universo para que la vida y el mundo que vemos en nuestra imaginación rápidamente se conviertan en nuestra vida y en nuestro mundo, se plasmen en una realidad plenamente tridimensional.

Éste es un curso de verdadera magia.

La verdadera magia existe, sin lugar a dudas. Responde a numerosos nombres distintos en las diferentes culturas de todo el mundo. Al margen de la palabra o palabras que cada uno utilice para describirla, es el proceso misterioso mediante el cual se crea aparentemente algo a partir de la nada. Es el proceso que ha creado todo este vasto universo, contigo y conmigo instalados en él, cavilando sobre estas palabras en este momento. Es el proceso siempre misterioso de la vida, se llame como se llame.

Siempre me ha gustado la palabra *magia*. Todavía guardo recuerdos de la misteriosa y maravillosa infancia, y la palabra siempre me ha fascinado. Puedes llamarla por muchos nombres, como *física* o *química* si estas palabras te parecen más precisas, acertadas o realistas. Puedes llamarla *diseño inteligente*, al margen de cómo la llames o de cómo la imagines, sin lugar a dudas existe una vasta inteligencia en las fuerzas que diseñan y crean este universo. Puedes llamarla Dios, puedes llamarla ciencia. Puedes llamarla visualización creativa, o planificación estratégica. Las personas que han alcanzado el éxito utilizan la magia constantemente, al margen de que sean conscientes de ello o no.

Muchas personas que utilizan la magia con mucha eficacia no creen en ella, y ni siquiera les gusta la palabra o el concepto de *magia*. Para muchas personas, esta palabra tiene numerosas connotaciones negativas. Sin embargo, muchas de ellas han descubierto cómo poner en práctica en su vida lo que podríamos llamar leyes de manifestación y —sí— de creación mágica. Simplemente dan distintos nombres al mismo proceso. Puedes elegir las palabras que más adecuadas te parezcan.

Las palabras en sí no son importantes, sólo son herramientas para referirnos a poderes que no podemos alcanzar a describir con nuestro vocabulario. Puedes llamar como quieras a este proceso misterioso. Para los objetivos de este curso lo llamaremos *magia*.

> Existe un proceso de creación misterioso
> al que podemos dar distintos nombres.
> Nunca comprenderemos cómo funciona,
> pero podemos ponerlo en funcionamiento
> de manera consciente.

El proceso comienza en el mundo interior de la mente. Empieza con una idea, un sueño; algo efímero, fugaz, tan ligero y vulnerable como una diminuta semilla arrastrada por el aire. Centrándonos en esa idea, ese sueño, podremos descubrir cómo manifestarlo en nuestra vida y nuestro mundo. Podremos crear algo aparentemente de la nada.

Este curso consta de numerosas sesiones. Cada una es un viaje interior, y cada viaje es un curso completo que contiene la esencia de todo el curso de magia. Para ver algunos cambios expansivos en nuestra vida no es necesario que nos aprendamos todos estos capítulos, ni siquiera que sigamos todo el curso. Si trabajamos y reflexionamos sobre cualquiera de estos capítulos, empezaremos a ver que ocurren cosas extraordinarias en nuestra vida y nuestro mundo.

El trabajo importante, el trabajo *esencial*, no es leer ni escuchar todas estas palabras, sino los viajes interiores que uno realiza y las experiencias resultantes que vive.

Un sendero mágico en el mundo actual

Tal vez sea conveniente explicar la historia acerca de cómo me introduje en la magia, ya que ilustra cómo podemos aplicar en nuestra vida y mundo actual, de una manera muy simple, las antiguas leyes y prácticas de la magia.

Al comienzo de mi segunda década, después de pasar tres años y medio en la universidad, estaba en peor forma de lo que he estado jamás en mi vida. Había leído un montón de libros y escrito numerosos trabajos, pero había hecho poco o nada por mi salud física y emocional. Había tomado demasiados estimulantes para llevar al día todos los trabajos y aprobar los exámenes, sin apenas ser consciente del daño que estas drogas me hacían a nivel físico, mental y emocional.

Tuve períodos de depresión. Cuando ahora miro atrás, me resulta obvio: aquello que sube debe bajar. Tras varios días tomando estimulantes diversos, uno está obligado a venirse abajo. Incluso peor, tal vez, era la continua ansiedad que sentía tan a menudo. Sentía que algo no marchaba bien en mí, y en el mundo. No podía decir qué era exactamente, pero algo estaba hecho un desastre, tanto en el mundo como en mi vida.

Vivía atemorizado buena parte del tiempo. Uno de mis constantes temores era que la ansiedad y la depresión pudieran conmigo, y que simplemente no fuese capaz de responder. No tenía la menor idea de que podía hacer algo con aquellas emociones que se apoderaban de mí. Estaba indefenso en una montaña rusa de emociones.

En cuanto dejé la universidad, acontecieron algunos cambios extraordinarios. Me apunté a una compañía de teatro y, por casualidad, empecé a hacer clases de yoga, porque los directores de teatro creían que era una buena manera de lograr disciplina física. Las sesiones de yoga y meditación que practicábamos en grupo tuvieron un poderoso efecto terapéutico en mí y, en muy poco tiempo, empecé a gozar de mucha más salud.

El yoga y la meditación me abrieron la mente de alguna manera y me mostraron que había mundos nuevos y distintos por explorar. En una ocasión, realizamos una breve práctica llamada *Cerrar las puertas* que consistía en sentarnos en una posición cómoda, respirar profundamente y cubrirnos los ojos, la nariz, la boca y los oídos con los dedos de las manos. (Más adelante daré más detalles). Por primera vez en la vida fui consciente de la existencia de un espacio interior tan vasto y amplio como el espacio exterior.

Ahora me parece extraño, porque debería haber sido obvio para cualquiera. Sin embargo, nunca había advertido el hecho de que tenemos un mundo interior, un espacio inmenso al que podemos acceder y podemos explorar a nuestro antojo. Se había abierto un mundo nuevo ante mí, un mundo imaginario, un mundo en el que, como descubrí poco tiempo después, tiene lugar la creación mágica.

Al cabo de poco tiempo de haber empezado a hacer yoga y meditación (no seguía un horario regular, pues seguía y sigo siendo vago e indisciplinado), me acerqué a echar un vistazo a una pequeña librería de Madison, en Wisconsin. Ahora mismo no recuerdo cómo se llamaba, pero tenía algo que ver con la magia, y sus estantes estaban repletos de libros sobre magia, tanto oriental como occidental. Nunca había leído ni visto ninguno de ellos. Cuando entré en esa librería, entré en un mundo nuevo.

Un hombre con pelo y barba oscuros estaba sentado tras un mostrador en una de las esquinas al otro lado de la librería. Tenía una barba espesa que ocultaba buena parte de su rostro; por lo poco que sabía, podía tener tanto alrededor de veinte años como de cincuenta. Leía en silencio mientras yo deambulaba por la tienda. Tuve una extraña sensación, una combinación de pavor, entusiasmo, timidez, temor e impresión. No tenía ni idea de qué se trataba, ni tampoco por dónde empezar a estudiar el tema visiblemente inmenso, detallado y arcano de la magia.

Me acerqué al hombre sentado detrás del mostrador y le pregunté por dónde podía comenzar a aprender sobre esta materia. Él me sonrió y me invitó a que me sentara en una vieja butaca de madera. Entonces, volvió a repantingarse en la silla, con aire relajado, y comenzó a darme lo que terminó convirtiéndose en una introducción de una hora a la magia occidental.

Me marché de allí con un montón de libros debajo del brazo. El más breve, que fue el primero que leí, era *El arte de la verdadera curación* de Israel Regardie. Sin ser consciente de ello, dejé los demás libros a un lado y me centré únicamente en este libro. Los demás permanecieron allí durante meses, años, sin que apenas los mirara. Con los años, perdí la mayoría de ellos. En el breve libro de Israel Regardie hallé todo lo que necesitaba para trabajar durante muchos de los años venideros.

La primera frase del libro atrajo y sostuvo mi atención. Estaba escrita de manera sencilla, con convicción y con autoridad. Nunca había leído ninguna frase parecida:

LA FUERZA DE LA VIDA

Dentro de todo hombre y toda mujer hay una fuerza
que dirige y controla todo el curso de nuestra vida.
Usada apropiadamente, esta fuerza puede curar toda aflicción
y todos los males a los que se halla expuesta la humanidad.

Y, como pronto descubrí, usada apropiadamente también podía ayudarnos a crear una vida más satisfactoria, fructífera y maravillosa. La esencia de la obra radica en un ejercicio que utiliza la imaginación denominado Meditación del Pilar Medio. Más adelante detallaré más este ejercicio, pero en su versión sencilla implica simplemente relajarse y visualizar o imaginar que hay un pilar de luz que desciende por el centro de nuestro cuerpo, desde la corona de la cabeza hasta la planta de los pies. Esa luz, esa energía, puede dirigirse a cualquier objetivo, tanto del interior del cuerpo como fuera de él, para curarnos a nosotros mismos y a los demás; y también, dentro de ese campo de luz, hay mundos internos de nuestra imaginación que podemos soñar, crear, explorar y evocar en nuestra vida.

La Meditación del Pilar Medio es una clave sencilla para la creación mágica. Empecé a realizar la meditación de forma bastante habitual, quizás unas pocas veces a la semana como promedio. Necesité años porque era joven y un completo idiota sobre muchas cosas, entre ellas sobre cómo ganar dinero haciendo lo que más me gustaba. Finalmente, sin embargo, a base de practicar la meditación, empecé a imaginar claramente la vida que quería vivir, y entonces me di cuenta de que los siguientes pasos que debía dar para crear esa vida eran evidentes y realizables, y por lo general bastante sencillos.

Uno de los breves ejercicios que haremos en el primer capítulo me indujo a atreverme a soñar con lo que consistía para mí una vida *ideal*. En cuanto tuve una idea clara de cómo sería mi vida ideal, los siguientes pasos que tenía que dar para conseguirla resultaron evidentes. Cada vez, daba un pequeño paso más, y finalmente cumplí mis sueños, convirtiéndolos en una realidad tridimensional a todo color. Todo ocurrió de forma misteriosa en el momento perfecto, sin que yo tuviera que hacer nada.

Con los años, añadí algunas cosas más a mi juego de herramientas de mago. Todas eran bastante sencillas; podría enseñárselas a un niño de diez años y a cualquiera que sea lo bastante mayor como para soñar, imaginar, leer y escribir. No tienes por qué creerme; simplemente, prueba alguna de estas cosas y aguarda a ver qué ocurre.

Todos nacimos con las herramientas de la creación mágica abundante, y no necesitamos nada que no tengamos.

Las herramientas de la creación mágica son simplemente nuestros sueños y nuestra imaginación.

Atrévete a soñar con la vida *ideal* que desearías vivir y luego pídele a tu poderoso subconsciente que te muestre cómo plasmar esa vida en la realidad.

Pide y recibirás.

La mayoría de nosotros simplemente no nos hacemos las preguntas adecuadas lo bastante a menudo, tales como: ¿cómo puedo crear la vida de mis sueños? ¿Qué pasos puedo dar? ¿Qué planes puedo hacer? Cuando te hagas estas preguntas, empezarás a obtener respuestas; las mejores respuestas serán hechas a medida para ti porque vienen de tu interior.

Pedid y recibiréis; buscad y encontraréis. Jesús no exageraba cuando pronunció estas palabras. No dijo «Pedid y recibiréis *en caso de que os lo merezcáis*». Ni si trabajáis lo bastante duro, habéis tenido la educación correcta, tenéis suerte o nacisteis bajo las estrellas adecuadas. No; lo dijo simple y claramente, y es una gran clave para la manifestación: *Pedid y recibiréis.*

¿Qué pides tú?

Sobre la repetición

En este curso hay muchas cosas que se repiten. Lo he hecho intencionadamente. La repetición es esencial. Piensa en cuántas veces recitamos y cantamos el abecedario antes de poder repetirlo sin cometer ningún error; cientos de veces.

La mayoría de nosotros necesitamos leer o escuchar el mismo material repetidas veces para recordarlo detalladamente, tanto que nos viene a la cabeza cuando más lo necesitamos, sin tener que evocarlo a propósito. Tanto que afecta a nuestra vida cotidiana.

Siempre que se repita algo, asimílalo, revísalo otra vez y advierte si tiene algún nuevo significado para ti. Presta mucha atención a las sensaciones físicas que experimentas mientras lees o escuchas otra vez esas palabras. Algunas de estas palabras están pensadas para que tu mente y tu cuerpo las asimilen profundamente, reflexionen sobre las mismas y las incorporen de modo que tu subconsciente empiece a aceptar estas nuevas instrucciones y comience a hacer magia.

Algunas de las palabras aparecen en negrita y en una página aparte. Te recomiendo que copies algunas y las cuelgues en la pared de tu casa. Puedes modificar todas las palabras que desees y expresarlas a tu manera.

Una de las herramientas más poderosas de este curso consiste en elegir una frase u oración que tenga un significado concreto para ti y repetirla las veces necesarias hasta lograr memorizarla. Cuando te venga a la mente espontáneamente en el momento oportuno, sabrás que tu subconsciente está asimilando estas palabras y estarás creando nuevas conexiones sinápticas. De este modo, empezarán a ocurrirte milagros que cambiarán tu vida.

Estás en camino de crear la vida de tus sueños.

> Y los milagros acontecerán, uno tras otro,
> y las maravillas nunca cesarán
> porque todas nuestras expectativas
> son para bien.

La esencia de lo que sé

En todas las páginas de este libro intento llegar a la esencia de lo que sé. Quizás, mientras lees o escuchas estas palabras, lo único que necesitas es *una sola frase*, y ese conocimiento, esa sabiduría, será suficiente para lanzarte a un nuevo mundo, en el que harás realidad tu visión, tus sueños más deseables.

Quizás algunos de vosotros viviréis una experiencia similar a la de Hui Neng, un leñador sin apenas formación que se convirtió en uno de los grandes maestros de China hace más de mil años. Llevaba una carretilla y, al pasar por delante de una ventana que estaba abierta, oyó que en el interior de la casa estaban cantando un sutra budista. Entendió la frase que estaban pronunciando e inmediatamente quedó iluminado.

Eso fue todo lo que necesitó: una sola frase. Puede que en tu caso también sea lo único que necesites, una sola frase en mitad de todas estas palabras. Quizás es esta frase:

La verdad reside en tu interior.

La intención de este curso
es contribuir a crear un ejército pacífico de visionarios,
artistas, emprendedores, empresarios,
maestros y líderes
que no sólo estén trasformando su propia vida,
sino también todo el mundo,
contribuyendo a la creación de un mundo adecuado para todos,
de forma sencilla, apacible, saludable y positiva,
en su momento idóneo
y para el beneficio de todos.

Sueña, imagina, crea:
el poder de nuestro
mundo interior

Esté al menos tan interesado en lo que pasa
en su interior como en lo que ocurre fuera.
Si su interior está bien,
lo exterior estará en orden.
La realidad primaria está dentro, la secundaria fuera.

ECKHART TOLLE, *El poder del ahora*

Los sueños son esenciales

Todo comienza con un sueño. Todo empieza con un deseo ínfimo, efímero y vulnerable que se le mete a uno en la cabeza. Por descontado. ¿Dónde si no podría empezar? Todo lo que ha creado el ser humano empezó primero siendo un sueño.

Empieza con un acto de coraje. La mayoría de personas tienen una vida que no les satisface porque no osan soñar en una vida expansiva, realizada y creativa. ¿Por qué no nos atrevemos a soñar, y por qué no nos atrevemos a hacer cualquier cosa que esté a nuestro alcance para satisfacer esos sueños?

La respuesta es sencilla: la mayoría de nosotros albergamos muchos temores que, sumados a nuestra ansiedad, arrollan nuestros sueños minúsculos y vulnerables. Casi todos nosotros tememos tanto el fracaso que ese miedo nos impide hacer lo que realmente queremos hacer, las cosas que nos hacen verdaderamente felices, nos entusiasman y nos llenan de vida.

Toda persona que haya alcanzado el éxito en cualquier campo te dirá lo mismo. ¡No tengas miedo al fracaso! No dejes que tus temores socaven tus sueños. Ve a por ellos. Nunca te arrepentirás. Sí, tal vez fracases por el camino; de hecho, es probable. Pero la vida continúa. Cuando hayas fracasado unas pocas veces, sin querer te darás cuenta de que no hay que temer al fracaso. Has fracasado; ¿y qué? ¿Qué objetivo vas a perseguir ahora? Eso es lo que importa. Este momento es todo lo que tenemos y, en este momento, podemos hacer magia verdaderamente eficaz si lo deseamos, si nos atrevemos a soñar.

El mundo interno de la imaginación

El hecho de comprender el poder de la magia lo bastante como para poderlo poner en práctica en nuestra vida no tiene por qué ser algo complejo y difícil. No es necesario que nos afiliemos a algún tipo de grupo místico, que nos abramos paso al trigésimo tercer nivel de algo o cualquier otra cosa para llegar a dominar la magia.

Es muy sencillo cuando lo pensamos:

> Todo lo que se ha creado
> primero se originó en la mente de alguien o de algo.
> Toda la creación empieza con una idea.

Es obvio, ¿verdad? El acto de la creación empieza con un pensamiento, una idea imprecisa, un sueño. ¿Dónde si no puede empezar? Todo comienza en nuestra imaginación.

Tenemos un mundo vibrante en nuestro interior. Un mundo de una luz reluciente; la luz de nuestra Presencia, nuestro Ser (gracias, Eckhart Tolle, por darnos estas palabras). Cuando exploramos este mundo, descubrimos un mundo de creación mágica. Es donde comienza toda la creación: en el mundo interior de la mente y el espíritu.

Se ha escrito y dicho mucho al respecto. Pero ninguna de esas palabras, tampoco éstas, son tan importantes: es lo que hacemos con estas palabras lo que afecta a nuestra vida. Por lo tanto, ahora, al comienzo del curso, vamos a tomarnos un momento para despertar nuestra imaginación, explorar nuestra mente interior y ver lo que sucede. Podemos iniciar nuestro viaje con el sencillo ejercicio que, en mi caso, logró ampliar la perspectiva de mi imaginación interior.

Cerrar las puertas

Este breve ejercicio de meditación es completamente opcional. Si has meditado con anterioridad, probablemente no necesites hacerlo. En mi caso, había practicado muy poca meditación la primera vez que lo hice y tuvo un efecto poderoso en mí.

Una buena manera de empezar es con lo que a veces se ha denominado Preámbulo de la Triple Respiración:

PREÁMBULO DE LA TRIPLE RESPIRACIÓN
Siéntate o túmbate en posición cómoda, relájate…
Inspira hondo y, mientras espiras, relaja el cuerpo…
Vuelve a inspirar hondo y, cuando espires, relaja la mente y deja que se vayan todos tus pensamientos…
Inspira hondo otra vez y, cuando espires, deja que se vaya todo…
Relájate profundamente durante un rato…
Siente tu Presencia… tu Ser…
Báñate en la luz de la energía vital de tu interior…

CERRAR LAS PUERTAS

Levanta las manos y estira los dedos. Ahora, con cuidado y despacio, tápate las orejas con los pulgares de manera que escuches lo menos posible...

Luego tápate los ojos con los dedos índice, ligeramente, sin presionar...

Inspira hondo y presiona los dedos corazón a cada lado de la nariz, bloqueando las vías respiratorias...

Cúbrete la boca con los dedos anular y el meñique, para bloquear también la respiración a través de la boca...

Siéntate lo más cómodo posible, sin que notes tensiones. Cuando necesites respirar, relaja los dedos corazón, anular y meñique y respira por la nariz. Mantén los ojos cerrados y los oídos tapados durante un rato más...

Hay mundos interiores de luz dentro de ti...

Báñate en la inmensa luz reluciente de la energía vital de tu interior...

Eso es. Tal vez este ejercicio no tenga ningún efecto para ti, o quizás ya hayas accedido a tus mundos internos y no te resulte sorprendente mirar en tu interior. La primera vez que hice este ejercicio tuve una experiencia conmovedora que jamás olvidaré. Advertí la existencia de mundos enteros que no sabía que existían simplemente porque nunca había pensado en ellos; mundos de pura luz, mundos creados a la velocidad de la luz dentro de la gran obra de arte que denominamos mente, imaginación.

Eres un pilar de luz

La Meditación del Pilar Medio es una pieza esencial de mi juego de herramientas de mago. Es una de las pocas prácticas de este curso que realizo de forma habitual varias veces a la semana, incluso a pesar de ser un vago. El mayor atractivo de la meditación es que se puede hacer tumbado boca arriba, en mi posición favorita de yoga: la postura de un cadáver, con el cuerpo inmóvil, un brazo a cada lado, ligeramente separados del cuerpo y las palmas hacia arriba. También se puede hacer en posición sentada, de pie o incluso caminando o corriendo.

Tres versiones de la Meditación del Pilar Medio

Con los años, he logrado adaptar tres versiones de esta meditación: dos breves y una más extensa. La primera consiste en relajarse e imaginar que tenemos una energía radiante y luminosa, la energía de la vida, en la corona de la cabeza, que desciende fluidamente a través de la línea media del cuerpo, desde la cabeza hasta los pies... Así es: breve, sencilla y dulce.

En la segunda versión, dejamos que la luz llene nuestro cuerpo mientras estamos de pie, caminando o incluso corriendo. La tercera meditación es más larga y tiene varias opciones. El lector puede cambiar y adaptar cualquiera de las versiones según le convenga.

Reparemos otra vez en las primeras palabras de *El arte de la verdadera curación*:

> Dentro de todo hombre y toda mujer hay una fuerza
> que dirige y controla todo el curso de nuestra vida.
> Usada apropiadamente, esta fuerza puede curar
> toda aflicción y todos los males a los que se halla
> expuesta la humanidad.

También puede ayudarnos a llevar una vida satisfactoria, fructífera, maravillosa y abundante. A través de la corona de la cabeza, estamos conectados con la energía del universo, y por medio de la planta de los pies, estamos conectados con la tierra y también con todo el universo que hay debajo. Primero, solamente imaginamos un pilar de energía luminosa y reluciente a través de nuestro cuerpo, luego hacemos que circule por él y después lo dirigimos. Esa luz, esa energía, la podemos dirigir conscientemente a cualquier lugar, tanto de nuestro interior como de nuestro exterior, para curarnos a nosotros mismos y a los demás.

También podemos dirigir conscientemente esa energía luminosa, la luz de nuestra imaginación, a los mundos mágicos de nuestro interior, donde podemos obrar toda clase de bondades. Podemos crear santuarios interiores y conocer guías interiores; podemos imaginar nuestros sueños más expansivos, de orden superior, y luego reunir la energía para manifestarlos en nuestra vida y en el mundo que nos rodea.

Esta sencilla y relajada meditación puede ser lo único que necesites del curso para poner en práctica en tu vida. Recomiendo encarecidamente realizar los siguientes ejercicios. Las primeras dos actividades no requieren de mucho tiempo; puedes hacerlas en un momento, con una sola respiración, en cualquier momento del día o la noche.

MEDITACIÓN SENCILLA DEL PILAR MEDIO

Inspira hondo, espira, relájate…
Imagina que de la corona de tu cabeza rebosa un pilar de luz sanadora…
Siente cómo esa luz desciende por tu cuerpo, de tu cabeza a las puntas de los dedos de los pies…
Luego siente cómo asciende de nuevo a la corona…
Imagina que tu cuerpo es un pilar radiante de luz…

Imagina que eres un pilar de luz.

Ésta es la versión reducida. No la subestimes; es una puerta o portal que nos muestra quién y qué somos realmente, por qué todas las células de nuestro cuerpo rebosan de la energía de la vida. Esta vida, esta luz, es lo que somos en lo más profundo de nuestro ser, ahora y para siempre.

MEDITACIÓN DEL PILAR MEDIO PARA HACER MIENTRAS CAMINAMOS

Ya sea de pie, caminando (o incluso corriendo), siente la Presencia de tu interior…

Siente tu Ser…

Tu cuerpo es un pilar de energía vital que te baña con su luz sanadora…

¡Sí! Tu cuerpo es un pilar de luz. Siéntelo en tu interior, siempre…

Es lo que eres en lo más profundo de tu ser…

Si es de noche y estás fuera de casa, puedes magnificar la experiencia empezando en algún lugar en la oscuridad y, a continuación, desplazándote a una zona más iluminada a medida que sientas cómo la energía vital baña cada célula de tu cuerpo.

Para la versión extendida de la Meditación del Pilar Medio, siempre conviene empezar con el Preámbulo de la Triple Respiración.

PREÁMBULO DE LA TRIPLE RESPIRACIÓN

Siéntate o túmbate en posición cómoda, relájate…

Inspira hondo y, mientras espiras, relaja el cuerpo…

Vuelve a inspirar hondo y, cuando espires, relaja la mente y deja que se vayan todos tus pensamientos…

Inspira hondo otra vez y, cuando espires, *deja que se vaya todo*…

Siéntate y relájate profundamente durante un rato…

Siente tu Presencia… tu Ser…

Báñate en la luz de la energía vital que habita en el interior de todas las células de tu cuerpo…

MEDITACIÓN EXTENDIDA DEL PILAR MEDIO

Inspira hondo y, cuando espires, siente la luz cálida y radiante de la corona de la cabeza; es la energía de la vida…

Obsérvala, siéntela, vibrante y resplandeciente…
Siente cómo desciende de la corona y te llena toda la cabeza —la mente, el tercer ojo— de luz vibrante, pacífica y sanadora…
Inspira hondo y, mientras espiras, relájate en este mundo de luz…

Siente cómo la luz desciende de nuevo y se concentra en la garganta…
Inspira hondo hasta llenar la garganta de aire y deja que la luz cálida de tu interior se expanda y se convierta en una energía sanadora tranquila y maravillosa…
Siente la luz; es la calidez de la vida…

Deja que se expanda otra vez y que descienda al centro de tu corazón…
Inspira la energía cálida y sanadora hacia el corazón y los pulmones…
Deja que la luz radiante se expanda y llene todo tu ser. Deja que se te abra el corazón de par en par a todos y a todo…

Deja que esa luz radiante descienda de nuevo y se concentre en el estómago, el *hara*, el tercer chakra. Es tu centro de poder…
Inspira luz sanadora a tu estómago y a la sorprendente red que forman tus intestinos…
Deja que la luz te sane y empodere…

Deja que la luz descienda de nuevo y se concentre en el segundo chakra, el de los órganos sexuales…

Siente cómo toda la región se baña en la luz cálida y sanadora...

Este centro energético es tu fuente de creatividad...

Es donde creamos literalmente vidas nuevas; por lo tanto, llénalo con tu energía vital sanadora...

Siente como finalmente desciende al chakra de la raíz, justo donde te sientas, y llena ese centro energético con la luz sanadora de la vida...

Ahora deja que la radiante energía descienda fluidamente por las piernas, salga por los pies y alcance la tierra y todo el universo...

Permite que esa energía luminosa ascienda por los pies, suba por el pilar central de tu cuerpo y llegue a la corona, para caer como la lluvia y bañar de luz todo tu cuerpo...

Repítelo varias veces, si lo deseas...

Imagina que tu cuerpo es un pilar radiante de luz resplandeciente, conectado por la parte superior con el universo, y por la parte inferior con la tierra y más allá, hasta abarcar todo lo que hay en esta creación mágica que denominamos universo.

Imagina que todos los centros energéticos de tu cuerpo son centros brillantes de luz...

Están conectados los unos con los otros y forman un pilar de luz radiante...

Esta luz es tu esencia. Es lo que eres: luz y vida.

Esta luz, esta vida
es lo que somos
ahora y siempre.
Esta luz, esta vida, es amor.

Afirma algo similar a:

Esté donde esté, vaya a donde vaya,
mi cuerpo es un pilar de luz.

Dirigir la energía luminosa

En cuanto hayas energizado el pilar de tu cuerpo desde la cabeza a los pies, podrás hacer toda clase de cosas extraordinarias con esta energía encauzada. Podrás hacer que esta energía sanadora circule por tu cuerpo de formas distintas, y dirigirla a cualquier parte de tu cuerpo que lo necesite. También podrás dirigirla a otras personas para ayudarlas a curarse. Podrás utilizarla para atraer dinero, resolver problemas y ayudar a los amigos que atraviesan dificultades.

Existen infinitas maneras de emplearla. También podrás usarla para crear, como por arte de magia, cualquier cosa que quieras en la vida.

Las siguientes meditaciones sólo son sugerencias. Siéntete libre de cambiarlas de cualquier modo que desees. (¡Y siéntete libre en general, también en la vida!) En una ocasión escuché a una sabia mujer llamada yvette Soler (no es un error de imprenta: escribe su nombre en minúsculas) decir que su maestra le había dicho que realizara por lo menos un cambio en cada una de las meditaciones o actividades que le enseñaba porque, de este modo, se las haría suyas. Realiza varias veces la Meditación del Pilar Medio y pronto te descubrirás adaptándola de muchas maneras distintas y creativas.

CIRCULAR LA ENERGÍA

Ahora que tu interior está repleto de energía vibrante y sanadora, puedes hacer que circule a través de tu cuerpo de distintas maneras.

Primero siente la energía que hay alrededor de tus pies, radiante y cálida…

Imagina que asciende por delante del cuerpo, a través de todos los centros energéticos, ascendiendo a través del pilar de luz…

Una vez alcanza la corona de la cabeza, desciende por detrás del cuerpo, llenándote de una energía luminosa sanadora…

Hazlo tantas veces como desees.

Luego imagina que la energía se acumula en los pies y de nuevo asciende por el costado izquierdo del cuerpo (o el costado derecho, según prefieras), activando todos tus centros energéticos una vez más…

Alcanza la corona y, a continuación, desciende por el otro costado del cuerpo…

Permite que esta energía circule varias veces por tu cuerpo…

Es la energía de la vida misma.

Ahora imagina que la energía asciende desde los pies, pasando por el centro del cuerpo, tu brillante Pilar Medio…

Todos los chakras se llenan de esta radiante luz sanadora…

La energía alcanza la corona y cae como la lluvia sobre ti, por tu cuerpo, bañando todas las células con la radiante luz sanadora de tu energía vital…

Al permitir que circule la luz de tu energía vital por el cuerpo, evocas poderosas corrientes de energía sanadora a través del cuerpo. Esta energía sanadora siempre está presente en tu interior; ahora sólo estás amplificándola con el poder de tu imaginación, y dirigiéndola con el poder de la atención de tus pensamientos. Estás listo para curarte a ti mismo.

CURARSE UNO MISMO

Inspira hondo y relájate profundamente mientras espiras...
Inspira hondo otra vez y evoca la radiante energía vital...
Deja que esta luz sanadora llene todas las células de tu cuerpo...
Ahora céntrate en cualquier parte de tu cuerpo que necesites sanar y contempla cómo la bañas con la radiante luz sanadora...
Llena toda la zona de luz cálida, suave y brillantemente poderosa...

Inspira hondo; lleva oxígeno, energía y calidez a esa zona...
Relájate... e imagina que de algún modo los asombrosos sistemas terapéuticos de tu cuerpo están dirigiendo todo su poder a la tarea de sanación.

Piensa o di algo similar a:

> Todos los días y en todos los aspectos
> estoy mejorando cada vez más,
> de forma sencilla, apacible,
> saludable y positiva,
> en su momento idóneo
> y para el beneficio de todos.
> Estoy lleno de energía sanadora.
> Estoy curado, estoy sano.
> Soy perfecto tal y como soy.

Permanece sentado tranquilamente en la luz de tu presencia sanadora durante un minuto... o una hora, o cualquier período de tiempo...
Siente cómo tu energía vital irradia a tu alrededor y permite que el extraordinario sistema terapéutico de tu cuerpo haga su labor...

Siente como te estás curando…

Dite a ti mismo, afírmate, que te estás curando, que estás sano, que eres una creación perfecta, llena de vida, ahora y para siempre.

Pide y recibirás. Pide curarte, túmbate y obséquiate la sanación.

También puedes curar a otros con el mismo método. La mejor manera consiste en que esa persona esté tumbada cómodamente boca arriba en una cama o un sofá, y nosotros nos sentemos y relajemos en una silla junto a ella. Si la otra persona está dispuesta, podéis realizar juntos la meditación, hablando en voz alta. O puedes hacerla tú solo, en silencio, y luego hablar con ella de tal modo que el espíritu te permita avanzar por el proceso de sanación.

CURAR A LOS DEMÁS

Inspira hondo y relaja el cuerpo mientras espiras lentamente…

Inspira hondo otra vez y relaja la mente…

Inspira hondo una vez más y deja que se vaya todo…

Relájate… y siente tu presencia, tu ser interior…

Baña todo tu cuerpo en la luz sanadora de tu energía vital…

Deja que la energía circule un rato, si te apetece…

Ahora, retira la atención de tu interior y céntrate en la persona que está tumbada delante de ti. Extiende la circulación de tu energía para incluirla…

Fusionad vuestros campos energéticos hasta formar un solo cuerpo de luz radiante y sanadora…

Puedes simplemente permanecer sentado, en silencio y sin moverte, y sentir cómo la energía sanadora hace su labor, o puedes alzar las manos y levantarte si es necesario, y ayudar a amplificar su energía sanadora a través del tacto.

No es necesario que toques a la otra persona; basta con que simplemente sostengas las manos sobre cualquier parte de su cuerpo para que sea capaz de sentir la calidez de tu presencia añadida a la calidez de la suya.

Puedes hacer todo tipo de cosas con las manos, como pedir consejo sobre lo que más nos conviene hacer en un momento dado. He aquí algunas sugerencias:

Coloca tus manos sobre su cabeza y permite que sienta la energía en el chakra de la corona...

Luego bájalas por los siete chakras y finalmente por sus piernas y pies, llenando todo su cuerpo de energía sanadora...

Haz que la energía circule con tus manos de cualquier modo que te parezca adecuado...

Deja las manos, sin moverlas, sobre cualquier área que deba sanar...

En silencio, permanece sentado con esa persona durante un rato...

No es necesario pronunciar ninguna palabra... o puedes decir cualquier palabra que se te ocurra en el momento...

Todos los días y en todos los aspectos
estás mejorando cada vez más.
Tu cuerpo está lleno
de energía vital radiante y sanadora.
Imagina que estás curado,
sano y fuerte.
Inspira la energía sanadora
del universo,
y activa tus extraordinarios
poderes (o sistemas) sanadores.
Estés donde estés, vayas a donde vayas,
tu cuerpo es un pilar de energía luminosa y sanadora.

Puedes recitar una oración, la que sea, si así lo deseas…

Cierro los ojos y veo un campo de luz.
Y siento cómo esa luz, esa vida,
nutre y cura
todas las células de mi cuerpo.
Y sé que esa luz, esa vida,
y ese amor,
es lo que soy,
ahora y siempre.
Amén.

Cuando uno realiza esta actividad terapéutica se da cuenta de que es sumamente efectiva. Hace poco se llevó a cabo un extenso estudio que demostró que las personas optimistas se curan mucho más rápido y tienen muchos menos problemas de salud que las pesimistas. Ciertamente existe un poder en el pensamiento positivo.

Sin duda, también existe un poder en la sanación a través del tacto. Puedes sentir la energía en las manos; puedes sentir cómo la energía se mueve a través de tu cuerpo y del cuerpo de los demás, y es evidente que esta clase de energía ayuda a reducir el estrés y contribuye a la sanación. La mayoría de personas pueden notarla sin ningún problema; es evidente que cuando uno se relaja y coloca las manos sobre alguien puede lograr toda clase de beneficios en el plano físico.

Lo que algunas personas no logran creer, sin embargo, es que les digan que esta clase de sanación también funciona a distancia. La otra persona puede estar a cientos o miles de kilómetros y aun así sentir los efectos de este tipo de meditación.

No te pido que creas nada de lo que digo. Solamente te propongo que pruebes algunos de estos ejercicios y aguardes a ver qué ocurre. Nunca tuve que llegar a creer en nada de esto; nunca tuve que dar un voto de confianza. Simplemente me tumbé boca arriba y probé las meditaciones, y luego vi los resultados.

Shakespeare lo expresó de forma maravillosa en *Hamlet:*

Hay más cosas en el cielo y en la tierra
que las que tu filosofía puede soñar.

Hay más cosas en el cielo y en la tierra que las que comprenderemos jamás. Hay grandes misterios de la creación, el nacimiento, la muerte y la vida eterna que seguirán siendo misterios para nosotros, por lo menos en esta vida.

A pesar de que nunca entenderemos completamente cómo funcionan los procesos de la creación, podemos aprender a ponerlos en marcha. Los resultados nos parecen mágicos, y lo son, porque la vida misma es un proceso mágico.

No intentes comprender cómo funcionan algunas de estas meditaciones; simplemente pruébalas y observa qué sucede.

CURAR A LOS DEMÁS A DISTANCIA
Inspira hondo y relájate…
Inspira hondo otra vez y relájate todavía más…
Haz que la energía sanadora circule a través de tu cuerpo…
Primero cúrate a ti mismo si lo deseas…
Ahora piensa en la persona a la que deseas sanar; evoca su espíritu, su presencia…
No tienes por qué estar ante su presencia para mandarle energía sanadora…

Oriéntate, sitúa los cuatro puntos cardinales e imagina dónde está esa persona en este momento, en nuestro planeta…
Ahora imagina que le mandas un torrente de energía luminosa sanadora, brillante, reluciente y radiante a través de cualquier distancia…
Báñala en la luz sanadora…

Con el poder de tu mente, ayúdala a restablecer sus formidables sistemas de sanación naturales…
Reza y afirma…

Estés donde estés, vayas a donde vayas, tu cuerpo es un pilar
de energía luminosa y sanadora.
Todos los días, en todos los aspectos, estás mejorando cada vez más.
Que así sea. Así es.

Hay muchas otras maneras de adaptar la Meditación del Pilar Medio para el uso cotidiano, por ejemplo, para atraer dinero y abundancia, para ayudar a los demás, para resolver problemas y para visualizar nuestros sueños con tanta claridad que terminemos cumpliéndolos, de forma sencilla, apacible, saludable y positiva, en su momento adecuado y para el mayor beneficio de todos.

ATRAER EL DINERO Y LA ABUNDANCIA
Inspira hondo y relaja el cuerpo…
Inspira hondo, relaja la mente y deja que se vayan todos los pensamientos…
Inspira hondo y *deja que se vaya todo…*
Simplemente, flota en la luz resplandeciente y sanadora de tu existencia…

Siente cómo esta luz se mueve por el pilar medio de tu cuerpo…
Haz que la energía circule hasta que te sientas completamente bañado por esta luz sanadora…
Ahora imagina cómo la luz que te rodea y que hay en tu interior cambia de color y adopta un hermoso y radiante tono azul…
La luz azul atrae, de modo que imagina cómo esta luz está atrayendo hacia ti un torrente maravilloso de todo el dinero y la abundancia con la que sueñas…

Siente y observa cómo te colma la vibrante energía de la riqueza y la abundancia…

Observa y siente cómo se acerca a ti desde cualquiera de las direcciones: norte, este, sur, oeste, arriba, abajo…

Si lo deseas, pronuncia la palabra *El*, ya sea en silencio o en voz alta. Es un nombre de Dios…

Visualiza, observa, siente y nota de algún modo que el océano de luz azul que te llena está atrayendo hacia ti todo lo que deseas.

> Todos los días y en todos los aspectos
> estoy mejorando cada vez más.
> Vivo en un océano de abundancia,
> luz y amor.
> Que así sea. Así es.

AYUDAR A LOS DEMÁS

Inspira hondo y relaja el cuerpo…

Inspira hondo, relaja la mente y deja que se vayan todos los pensamientos…

Inspira hondo y *deja que se vaya todo*…

Siente cómo el campo energético de tu interior cura todas las células de tu cuerpo…

Imagina una persona a la que quieres ayudar de alguna manera…

Ahora imagina cómo la luz que hay a tu alrededor y en tu interior cambia de color y se convierte en un violeta oscuro, hermoso y vibrante…

La luz violeta se irradia hacia afuera, de modo que imagina que esta luz se irradia hacia la persona a la que quieres ayudar…

Imagina su espíritu, su presencia…
Acerca tu espíritu, tu presencia, a la suya…
Imagina que tu energía puede ayudarla, asistirla, empoderarla…
Imagina que eres capaz de darle lo que necesita, ya sea entendimiento, sanación, capacidad, abundancia, paz interior, amor o cualquier otra cosa…

Imagina que llenas su Presencia, su Ser, con el bien superior de tu Presencia…
Reza y afirma cualquier palabra que te venga a la mente…

Termina con los siguientes versos:

> Todos los días y en todos los aspectos
> ¡estamos mejorando cada vez más!
> Esto, o algo mejor, se está manifestando
> de una forma completamente satisfactoria y armoniosa,
> y para el mayor beneficio de todos.
> Que así sea. Así es,
> de forma sencilla, apacible,
> saludable y positiva,
> en su momento idóneo
> para el mayor beneficio de todos.

La siguiente actividad puede ayudar a resolver problemas que parecen difíciles e incluso incorregibles. Parece que funciona mejor cuando se realiza en mitad de la noche, cuando las demás personas implicadas están durmiendo.

RESOLVER PROBLEMAS

Halla un lugar y un momento de tranquilidad…
Inspira hondo y relaja el cuerpo…

Inspira hondo, relaja la mente y deja que se vayan todos los pensamientos…
Inspira hondo y deja que se vaya todo…
Relájate en la luz sanadora de tu Presencia, tu energía vital…
Imagina que tu cuerpo es un pilar brillante de luz…
Realiza la Meditación del Pilar Medio hasta donde quieras…
Haz que la energía circule por tu cuerpo, si lo deseas…

Ahora imagina que se llena de la radiante luz sanadora…
Imagina, en la distancia, la luz de la Presencia de la persona o las personas con las que estás atravesando dificultades…
Siente que tu Presencia se acerca a la suya…
Reconoce la luz de su interior…
Una forma de hacerlo consiste en saludar al otro con la palabra *Namaste*, que significa:

Me inclino ante tu luz interior.

En tu Presencia, sientes la unidad con los demás…
Sientes un respeto afectuoso por toda la creación…
Acércate a esa persona con un respeto afectuoso, y entabla una conversación imaginaria…
Explícale tu versión de la historia, cuál es el problema según tú lo ves…
Luego pregúntale por su versión de la historia…
Escucha en silencio y prueba de entender su punto de vista…

Algunas veces eso es todo lo necesario; otras veces, preferirás proseguir tu conversación imaginaria. Puedes preguntarle qué ideas tiene para resolver el problema, qué le gustaría que hicieras…
Escucha en silencio a ver si tiene una respuesta para ti…
Dile qué te gustaría que ocurriese para resolver el problema…

Siéntate en silencio… observa lo que surge…
Tal vez surja una solución, fácilmente y sin esfuerzo…
Una solución para el mayor beneficio de todos…
Afirma:

> Todos los días y en todos los aspectos
> estamos mejorando cada vez más.
> Nuestro problema se ha resuelto,
> de forma sencilla, apacible,
> saludable y positiva,
> en su momento idóneo
> y para el mayor beneficio de todos.
> Que así sea. Así es.

A veces lo único que uno necesita es mantener una breve conversación, y luego simplemente dejarlo para el día siguiente. Podría parecer como si la otra persona hubiera escuchado lo que le has dicho mentalmente en mitad de la noche. Tal vez descubras que el problema se ha resuelto, fácilmente y sin esfuerzo, para el mayor beneficio de todos.

Nuestro santuario y guía interiores

Las siguientes dos meditaciones las aprendí en un curso llamado Método Silva de Autocontrol Mental. Son viajes guiados al interior que nos llevan a nuevos mundos, a mundos con una imaginación ilimitada.

Empieza con el Preámbulo de la Triple Respiración y, si lo deseas, añade una cuenta atrás al final:

PREÁMBULO DE LA TRIPLE RESPIRACIÓN
Siéntate en una posición cómoda, relajada…
Inspira hondo y, mientras espiras, relaja el cuerpo…

Vuelve a inspirar hondo y, cuando espires, relaja la mente y deja que se vayan todos tus pensamientos…

Inspira una vez más y, mientras espiras, deja que *se vaya todo*…

Haz una cuenta atrás, del diez al uno, mientras respiras profundamente y te sientes como una hoja que cae sin rumbo con el viento…

Diez… nueve… ocho… siete… seis… más y más profundo… cinco… cuatro… tres… dos… uno… *cero*…

Siente cómo te relajas en el inmenso vacío de toda la creación…

Permanece sentado un rato y relájate profundamente…

Siente tu presencia… tu Ser…

NUESTRO SANTUARIO INTERIOR

Con los ojos cerrados, imagina que puedes ver a muchos kilómetros de distancia.

…Imagina que puedes crear mundos enteros y resplandecientes en la mente…

Deambular por estos mundos, moverte a la velocidad de las ideas…

Mira a tu alrededor hasta que halles tu santuario interior, ese lugar maravilloso de paz y reposo que tienes en el interior de la mente…

Es un lugar de serenidad absoluta que siempre te aguarda…

Tal vez sea un lugar en el que ya has estado, como el mar, las montañas, el bosque, un lugar especial de tu infancia… O tal vez sea un lugar de este mundo que no has visto nunca, un lugar que sólo existe en tu imaginación o en algún otro mundo…

Es tu santuario. En este lugar estás completamente a salvo. Aquí te sientes en paz y completo. Todo está bien…

Añade algunos detalles; tal vez los visualices bien, o puede que sólo sean briznas de tu imaginación. ¿Qué aspecto tiene? ¿Estás en la naturaleza? ¿Hay alguna clase de estructura?

Puede que incluso tengas alguna clase de oficina interior en este lugar. Quizás haya un ordenador al que puedas acceder. Tal vez haya archivadores con cualquier tipo de información que necesites consultar…

Es tu santuario, tu refugio, y también un lugar al que puedes acudir en busca de información, conocimientos, sabiduría…

Relájate en el santuario luminoso, cálido y maravilloso que has creado…

Saborea tus sensaciones de paz interior…

Tu santuario siempre está aquí, disponible para ti cuando necesites descansar, rejuvenecerte, tener paz interior y respuestas a tus preguntas.

¡Cualquier rato que pases aquí estará bien invertido!

NUESTRO GUÍA INTERIOR

Hay un invitado especial que acude a nuestro santuario siempre que lo convocamos: nuestro Guía Interior.

Podemos convocar a nuestro Guía simplemente por medio de nuestros pensamientos; basta con que pidamos ver a nuestro Guía para que éste aparezca…

Observa en la distancia e imagina que, a lo lejos, ves una figura diminuta que se acerca a ti…

A medida que se va acercando empiezas a ver detalles. ¿Es un hombre? ¿Una mujer? ¿Un niño? ¿Un animal? ¿Un ángel? ¿Un santo? ¿Una diosa?

Tu Guía se acerca a ti con gran amor, con una calidez radiante…

Pregúntale cómo se llama y aguarda en silencio su respuesta…

Pregúntale lo que quieras, y escucha…

Nuestro Guía Interior siempre está a nuestra disposición para guiarnos, protegernos y mostrarnos lo maravillosa que es la existencia…

Siéntate y tómate un té (¡o una taza de elixir terapéutico!) con tu Guía... o simplemente habla con él, baila, corre, juega o haz lo que te apetezca más en ese momento...

Estás reproduciendo en tu imaginación un amigo interior maravilloso que siempre está allí con grandes y sabios consejos. Escucha a tu Guía Interior...

Dale las gracias por haber venido. Dale las gracias por sus sabias palabras...

Quizás quieras abrazarlo...

Tu Guía se marcha y descubres que, después de haber estado en el resplandor de su presencia, tú también estás repleto de gracia, paz interior y ligereza.

Cuando te relajas y realizas estas meditaciones, lo ves: el mundo de luz brillante de tu interior, la luz de tu Presencia, tu Ser. Es el mundo de la creación mágica.

Para crear cualquier cosa tienes que imaginar su resultado final, tan completo como sea posible. Concéntrate en la finalidad; no la pierdas de vista. ¿Por qué no empezar con una idea general? ¿Por qué no atreverte a soñar tu *ideal* y explorar nuevos mundos con nuevas posibilidades?

El poder de nuestro escenario ideal

Cuando tenía veintidós años apenas sabía el efecto que tendría en mí, una década más tarde, esa actividad sencilla y divertida que hicimos. La primera vez que lo hice no tenía la menor idea. Había seguido a mi novia a un experimento neorrural que sólo duró cuatro o cinco meses fríos y lluviosos. Pero, una noche, ocurrió algo que nunca olvidaré.

Estábamos sentados alrededor del fuego, quizás diez o doce personas, y una de las parejas dijo:

—Hagamos un juego al que siempre jugamos en el campamento de la iglesia. Imaginemos que han pasado cinco años y que las cosas nos han ido todo lo bien que podemos imaginar. ¿Cómo sería vuestra vida?

Cada uno de nosotros empezó a hablar. No tengo la menor idea de lo que dije en ese momento porque, como es evidente, no tuvo ningún efecto en mi vida. Pero el día que cumplí treinta años recuerdo que estaba jugando a ese juego, me senté y me dispuse a hacerlo de verdad. La primera vez que lo hice cogí un folio de papel, escribí mi escenario ideal al principio y llené la página. Tardé unos diez minutos.

Más adelante, volví a hacerlo de mi manera preferida: tumbado boca arriba, profundamente relajado, comenzando con el Preámbulo de la Triple Respiración.

PREÁMBULO DE LA TRIPLE RESPIRACIÓN

Siéntate o túmbate en posición cómoda, relájate…

Inspira hondo y, mientras espiras, relaja el cuerpo…

Vuelve a inspirar hondo y, cuando espires, relaja la mente y deja que se vayan todos tus pensamientos…

Inspira hondo otra vez y, cuando espires, deja que *se vaya todo*…

Permanece un rato sentado y relájate profundamente… uno se siente tan bien cuando está tan relajado…

Báñate en la luz de la energía vital de tu interior…

MEDITACIÓN DEL ESCENARIO IDEAL

Advierte el campo de luz que hay a tu alrededor, delante de ti, encima de ti y en tu interior…

En el interior de esa luz resplandeciente, puedes imaginar cualquier cosa que desees…

Imagina que han pasado cinco años y que las cosas te han ido todo lo bien que puedes imaginar. Te has convertido en un mago poderoso, capaz de hacer realidad tus sueños en los mundos fulgurantes de tu mente...

¿Qué aspecto tiene tu vida?
¿Qué aspecto tiene el mundo?

¿Qué haces durante un día cualquiera?
¿Qué tienes a tu alrededor?
¿Qué clase de persona eres?
¿Qué has logrado?
¿Qué has aportado al mundo?
¿Qué es lo más importante de tu vida?

Eres un pilar brillante y resplandeciente de energía creativa...
Tu mente y tu corazón están conectados, unidos...

> Cuando los mundos que has creado en tu mente
> conecten con tu corazón,
> habrás creado lo que más deseas.

Cuando el sueño que estás soñando en la mente se impregna del amor de tu corazón, pronto se manifiesta en tu realidad...

Imagina tu escenario ideal lo más claramente que puedas...
Imagina una vida en la que disfrutas de cada momento...
Luego rodéala con una luz dorada y deja que ilumine el Universo...

Afirma:

> Esto, o algo mejor,
> se está manifestando
> de forma sencilla, apacible,

saludable y positiva,
en su momento idóneo
y para el beneficio de todos.
Que así sea. Así es.

Si eres demasiado vago para hacer esta meditación, aquí tienes una versión más reducida, un momento muy breve de reflexión:

BREVE MEDITACIÓN DEL ESCENARIO IDEAL
Imagina que han pasado cinco años y que las cosas te han ido todo lo bien que puedes imaginar. ¿Qué aspecto tiene tu vida? Luego pregúntate: ¿Qué puedo hacer para acercarme más a mi escenario ideal? Aguarda para obtener una respuesta y hazlo.

Cuidar de uno mismo y de su mundo

Cuando nos atrevemos a centrarnos en un sueño, podemos convertir esa idea etérea en un objetivo concreto. Y cuanto más nos centremos en él, más advertiremos los pasos que tenemos que dar para alcanzarlo.

Cuando imaginamos nuestro escenario ideal, tarde o temprano advertimos que en él cuidamos tanto de nosotros mismos como también del resto del mundo. Los dos aspectos centrales en los que nos centramos son: 1) nuestro brillante cumplimiento en la vida, nuestra realización; y 2) un mundo que sea adecuado para todos. Descubrimos que las dos cosas en realidad sólo son una, porque nuestra vida y la de los demás están ligadas inextricablemente. Somos una familia mundial que compartimos el mismo mundo.

Todos queremos las mismas cosas en la vida: queremos paz y prosperidad, y vivir en un mundo abundante que sea sostenible para las generaciones futuras. Por eso no nos centramos únicamente en cuidar de nosotros mismos, sino también en hacer que el mundo sea un lugar mejor.

> Céntrate en lo que es adecuado para ti y céntrate en un mundo
> que sea adecuado para todos.

El primer paso para la mayoría de nosotros consiste en centrarnos en nosotros mismos. Tenemos que cuidar de nosotros mismos, después de todo, antes de poder cuidar de cualquier otra cosa o persona.

Determina un claro objetivo respecto a dónde quieres estar dentro de cinco o diez años. Ten presente la finalidad. Sigue centrándote en ese objetivo, y pronto descubrirás los pasos que tienes que dar para alcanzarlo.

Por el camino, también es posible que tengamos otro objetivo claro en el que centrarnos: el objetivo de un mundo que sea adecuado para todos. Millones de personas ya se esfuerzan por alcanzar ese fin. Unámonos todos a ellas y hagamos lo posible para hacer que el mundo sea un lugar mejor para todos.

> Afirmemos algo similar a esto:
> ahora somos una fuerza vital,
> un ejército de magos, visionarios, artistas,
> emprendedores, empresarios, maestros y líderes
> que trasformamos no solamente nuestra propia vida,
> sino también todo el mundo,
> contribuyendo a la creación de un mundo adecuado para todos,
> de forma sencilla, apacible, saludable y positiva,
> en su momento idóneo
> y para el mayor beneficio de todos.
> Que así sea. Así es.

Afirmar el sueño: el poder de la palabra oral

Al principio ya existía la Palabra.
La Palabra estaba junto a Dios,
y la Palabra era Dios...
En ella estaba la vida;
y la vida era la luz de los hombres.

Juan 1:4

Al principio ya existía la palabra

Todo empieza con una idea o un sueño. Algo efímero, como hemos visto. Luego esa idea se traduce en una palabra y, con ello, adquiere poder, impulso e incluso fundamento.

Todas las palabras tienen poder. Las palabras orales, escritas e incluso los pensamientos de nuestra mente tienen poder para bien o para mal, así que, ciertamente, es mejor centrarnos en las palabras que resultan beneficiosas para nuestra vida, y nos deshagamos de las palabras que nos perjudican de algún modo. Es una tarea para tontos, y no es tan difícil llevarla a cabo.

Adquirir conciencia de nuestros pensamientos y palabras
es una práctica poderosa,
un sendero espiritual completo.

Adquirir conciencia de nuestros pensamientos y palabras puede ejercer un efecto poderoso sobre cualquier aspecto de nuestra vida. Para algunas personas, esta simple práctica es un sendero espiritual completo. Buda lo denominó el sendero del pensamiento correcto.

En *Como un hombre piensa, así es su vida*, James Allen nos hizo una revelación brillante del sendero del pensamiento correcto. El libro es una pequeña obra maestra que se resume con su poema introductorio. (En algunos libros budistas, se dice que si uno puede comprender el poema introductorio, no es necesario que lea el resto del libro porque la esencia del mismo está contenida en dicho poema. Creo que también es válido para *Como un hombre piensa, así es su vida*).

La mente es el principal poder que moldea y crea.
El hombre es inteligente y siempre que tome
la herramienta del pensamiento y le dé forma a lo que desea,
produce mucha alegría o mucha infelicidad.
Lo que el hombre piensa en secreto, eso sucede.
Su medio ambiente o entorno no es más que su espejo.

Pensamos en secreto y luego traducimos en palabras nuestros pensamientos. Cuando centramos nuestras palabras en hechos positivos que queremos que se manifiesten en nuestra vida y las repetimos, amplificamos su poder de modo que se convierten en afirmaciones capaces de trasformar nuestra vida. En las tradiciones orientales se conocen como *mantras*: son palabras que se cantan y repiten para que se amplifique su poder.

La palabra *afirmar* significa literalmente «hacer firme». Cuando un pensamiento se repite en silencio u oralmente, se concreta más que un pensamiento fugaz. El mecanismo de funcionamiento de las afirmaciones y los mantras seguirá siendo siempre un misterio, pero podemos aprender cómo poner en marcha su poder. Existen muchas maneras de conseguirlo, pues se puede hacer con cualquiera de las numerosas palabras de las distintas tradiciones.

He aquí una forma:

> Las afirmaciones y los mantras programan
> la inmensidad de nuestra conciencia y subconsciente.

Cada pensamiento que tenemos y cada palabra que decimos programa nuestra mente, tanto nuestro consciente como nuestro ilimitado y poderoso subconsciente. La mayoría de nosotros, a lo largo de nuestra vida, nos programamos con una gran cantidad de información contradictoria, de modo que al final albergamos creencias que están en conflicto las unas con las otras. Nos atrevemos a soñar hasta cierto punto, y algunos incluso nos decimos a nosotros mismos que tenemos el talento y las herramientas necesarias para cumplir ese sueño, pero también llenamos nuestra mente de dudas, temores y creencias que nos limitan y finalmente pueden llegar incluso a destruir buena parte de nuestros sueños.

Las afirmaciones tienen el poder de superar nuestras dudas y temores e incluso de cambiar aquellas antiguas creencias que nos limitan y que no nos están haciendo ningún bien. Las afirmaciones pueden sustituir e incluso cambiar nuestras creencias más fundamentales sobre la naturaleza de nuestro mundo y de nosotros mismos y, por eso, pueden ser una de las herramientas más poderosas que tenemos para ayudarnos a descubrir un atajo que nos conduzca al éxito y a la realización de nuestros sueños.

Yo era de los que creía lo que todavía creen muchas personas: que la vida es, básicamente, una lucha. Que es difícil tener éxito. Que requiere mucho esfuerzo y muchísima suerte. Que por eso tan pocas personas tienen éxito y, en cualquier caso, sus vidas son igualmente deprimentes. Que hay que ser realistas: las posibilidades de tener éxito son escasas, especialmente en mi caso, con todos mis problemas y defectos.

Entonces me di cuenta de que *estas creencias tan arraigadas no son necesariamente ciertas* –después de todo, hay muchas personas con creencias completamente distintas–, *sino que se hacen realidad en nuestra vida si creemos en ellas*. Nuestras creencias acarrean su propio cumplimiento. Por suerte, son flexibles, de modo que pueden cambiar. Y cambian.

> Las afirmaciones nos ayudan,
> consciente e intencionadamente,
> a cambiar nuestras creencias.

Afirma que vives en un mundo abundante y observa qué ocurre. Afirma que puedes alcanzar el éxito, sea como sea que elijas definir el éxito, e incluso vivir la vida de tus sueños, de forma sencilla, apacible, saludable y positiva, y observa qué ocurre. Ni siquiera es necesario que creas en las afirmaciones; simplemente pruébalas, y advertirás que, de forma rápida e incluso mágica, ocurrirán algunos cambios sorprendentes.

He visto como mis creencias más profundas y arraigadas han cambiado drásticamente con el paso de los años, y sé que fue por las afirmaciones que repetía una y otra vez. Mi vida y, en realidad, el mundo entero en el que vivo, hemos cambiado completamente. Ahora vivo en un mundo abundante donde no hay escasez de bienes.

Durante años pasé apuros por cuestiones económicas porque creía que era un inútil con el dinero, que no tenía ningún control. Simplemente no reunía los requisitos necesarios para ser una persona de éxito. En cuanto pude ver claramente esta creencia y expresarla en palabras sencillas, pude dar con una afirmación que la contradecía completamente:

Soy prudente y tengo el control de mis finanzas; estoy contribuyendo a mi éxito absoluto de forma sencilla, apacible, saludable y positiva.

Como no quería perder de vista estas palabras, anoté esta afirmación con letras grandes y la colgué en la pared de varios sitios distintos de mi casa y mi oficina. Coloqué una copia en mi billetera y otra junto al teléfono de mi escritorio. Pronuncié la afirmación unas cuantas miles de veces durante los siguientes años y, de forma mágica y sin esfuerzo, logró hacerse realidad en mi vida.

Existe un número ilimitado de afirmaciones, aunque las mejores son las que concebimos nosotros mismos. No dejes de añadir y de cambiar las palabras siempre que lo creas oportuno.

Las afirmaciones funcionan

Las afirmaciones funcionan. Un inmenso número de prácticas de un gran número de tradiciones funciona. Las oraciones funcionan. Las declaraciones funcionan. Los mantras funcionan. La evocación funciona. La visualización creativa funciona. El pensamiento positivo funciona. Por desgracia, el pensamiento negativo también funciona, y tiene el poder de socavar y destruir nuestras afirmaciones, oraciones y sueños.

Es como si todo el universo dijera «¡Sí!» de forma misteriosa a todos los pensamientos que tenemos. Cuando afirmamos algo, el universo dice «¡Sí!» y luego empieza a susurrarnos y a mostrarnos los pasos exactos que debemos dar para conseguirlo.

Pero si nuestro siguiente pensamiento es: «Oh, pero es muy difícil tener éxito, por eso tan pocas personas lo logran...», el universo dice: «Sí, es difícil para ti si albergas estos pensamientos».Y, con bastante certeza, las cosas serán difíciles. Serán una lucha. Serán arduas. Acontecerá (por citar una afirmación negativa terrible) «una maldición detrás de otra».

T. Harv Eker hace una buena analogía: es como si hubiera un inmenso almacén universal repleto de todo lo que puede desear nuestro corazón. Cuando afirmamos, rezamos o declaramos que estamos recibiendo aquello que deseamos, esas palabras se convierten en una orden que el universo empieza a cumplir. Obtendremos aquello que pedimos *a menos que* nuestro siguiente pensamiento sea negativo, nos limite o esté repleto de dudas y temores que cancelen nuestra orden.

Damos una orden, luego la cancelamos, luego la volvemos a dar, y a continuación la cancelamos otra vez. Nuestras afirmaciones y oraciones no llegan a buen puerto.

Merece la pena repetir:

Las afirmaciones funcionan. Las oraciones funcionan.
Las declaraciones funcionan. La evocación funciona.
La visualización creativa funciona. El pensamiento positivo funciona.
Por desgracia, el pensamiento negativo también funciona,
y tiene el poder de socavar y destruir nuestras afirmaciones,
oraciones y sueños.

Sin embargo, hay esperanza para todos nosotros: podemos superar una inmensa cantidad de dudas y temores si simplemente recurrimos a nuestras afirmaciones una y otra vez. Cuelga anotaciones con ellas en las paredes donde no dejes de verlas. Llévate algunas encima. Léelas una y otra vez. Incúlcalas en lo más profundo de tu mente. Y prepárate para algunos resultados inevitables.

Una historia milagrosa

Con los años, he escuchado incontables historias que ilustran el poder de la palabra oral, las afirmaciones y los mantras. Estoy seguro de que tú también, si te paras a pensarlo.

Hace tan sólo unas pocas semanas volví a ponerme en contacto con una vieja amiga de nuestro experimento neorrural. No la había visto en cuarenta años y quería escuchar qué había sido de su vida: qué había vivido, dónde estaba ahora y dónde soñaba con dirigirse.

Dijo que a lo largo de su segunda década había estado errando, en gran medida como yo, en busca de algo que parecía eludirla. Entonces, a los treinta y pocos años, leyó *Visualización creativa* de Shakti Gawain y comenzó a repetir una afirmación, una y otra vez, durante los meses y los años posteriores. Éstas fueron las palabras que acabaron cambiando su vida:

> Hago una labor maravillosa
> de una forma maravillosa
> con personas maravillosas
> para obtener una recompensa maravillosa.

Después de recitar estas frases durante un tiempo, empezaron a fluir algunas ideas creativas, algunas posibilidades. Barajó varias ideas, y entonces una de ellas empezó a concretarse mucho más —cada vez se le ocurrían más detalles— hasta que fue capaz de elaborar un plan claro y sencillo que pensó que era perfectamente realizable. Al final, pudo abrir su propia tienda y vender todas las cosas extrañas, insólitas y maravillosas que le apasionaban.

Elaboró un plan y fue a por él, repitiendo su afirmación con frecuencia a lo largo del día, y desde hacía treinta años tenía su propio negocio, donde desarrollaba una labor maravillosa, de una forma maravillosa, con personas maravillosas y para obtener una recompensa maravillosa.

Otra historia milagrosa

Hace poco supe de otra historia milagrosa: hace unos años, una mujer estaba al borde de la quiebra y de la ejecución de su hipoteca porque, poco después de estallar la crisis financiera, apenas ganaba como agente inmobiliario. Había comprado su casa en el apogeo de la burbuja inmobiliaria y tenía una deuda con el banco muy superior al precio de mercado de su vivienda, que estaba muy por debajo del valor de su hipoteca. Se apuntó a uno de mis seminarios y en una libreta anotó una lista de objetivos, formulados en clave de afirmaciones. Todas las mañanas, mientras hacía ejercicio durante media hora en una cinta de correr, se leía las afirmaciones para sus adentros, una y otra vez.

Afirmaba que estaba acabando de saldar la deuda de su hipoteca de forma sencilla, apacible, saludable y positiva, y que tenía un millón de dólares en activos líquidos.

Al cabo de unos días empezó a tener ideas creativas. Barajó varias posibilidades que se le ocurrieron, pero no era capaz de ver cómo podrían llegar a funcionar. Al cabo de unas semanas, tuvo una idea que llevó a término: trabajar directamente con los bancos para ayudarles a volver a financiar hogares como el suyo cuyo valor hipotecario estaba muy por encima del valor de mercado. En dos años, saldó completamente la deuda de su casa y logró ahorrar una suma considerable que le dio bastante seguridad.

Sabe que las repetidas afirmaciones tuvieron un efecto, y permitieron que ideas creativas afloraran en su mente.

No es necesario que creas en algo para que esto funcione; simplemente pruébalo y observa qué sucede.

Las dos afirmaciones más importantes: la primera y la última

Cuando miro atrás y recuerdo el sendero con tantas curvas que tuve que andar desde la pobreza a la abundancia, me resulta evidente que una de las cosas más poderosas y eficaces que hice fue escribir una lista de sueños y objetivos, formulados en clave de afirmaciones y redactados como si ya fuesen realidad, y repetir esas afirmaciones lo suficiente como para que mi subconsciente las aceptara y se dispusiera a cumplirlas.

Cuando alcancé el punto más bajo a nivel económico, cerca de la bancarrota, di con una afirmación que cambió mi vida y mi mundo:

> Soy prudente y tengo el control de mis finanzas;
> estoy contribuyendo a mi éxito económico absoluto,
> de forma sencilla, apacible,
> saludable y positiva,
> en su momento idóneo
> y para el mayor beneficio de todos.

No dejé de repetir estas palabras durante una época en la que esa afirmación distaba mucho de asemejarse a mi realidad. De hecho, era exactamente la opuesta. Tras varias semanas repitiendo esta afirmación, empecé a caer en la cuenta, paulatinamente, de que alcanzar el éxito económico no era tan misterioso, ni siquiera tan difícil. Mejor todavía, se me empezaron a ocurrir toda clase de ideas acerca de cómo podía hacer realidad el éxito económico en mi vida.

Al principio ya existía la palabra, dice Juan en la Biblia. Las afirmaciones que repetimos mentalmente empiezan a darnos ideas, a poner más palabras en nuestra mente, que nos muestran los pasos que podemos dar para crear una vida mucho más abundante y satisfactoria. Y los pasos son evidentes, sencillos y fáciles de dar. En su momento idóneo, para el mayor beneficio de todos, estas cosas que seguimos afirmando se hacen realidad en nuestra vida. Merece la pena repetir:

> En su momento idóneo
> estas cosas que seguimos afirmando
> se hacen realidad en nuestra vida.
> Nuestro subconsciente no conoce límites.

Si seguimos diciéndole a nuestro subconsciente que estamos contribuyendo a nuestro éxito económico absoluto, inmediatamente se pondrá manos a la obra para mostrarnos cómo conseguirlo. Y si no dejamos de repetirnos o programarnos que estamos teniendo éxito *de forma sencilla, apacible, saludable y positiva,* nuestro subconsciente se ocupará de mostrarnos exactamente lo que tenemos que hacer para alcanzar el éxito con facilidad.

Haz una lista de tus objetivos en clave de afirmaciones. Si no te gusta la palabra *objetivos,* por el motivo que sea, elige otra, como *sueños.* Repite tus afirmaciones con bastante frecuencia para que tu subconsciente las asimile y acepte. Cuando eso suceda, lo sabrás porque se te empezarán a ocurrir ideas, aparentemente de la nada, que te mostrarán los siguientes pasos evidentes que debes dar para cumplir tus sueños, tus objetivos, tus deseos.

Al principio tenía una lista con doce afirmaciones; la primera y la última eran las más importantes. Es lo que me ha sucedido de forma natural con el paso de los años; por eso, te animo a que encuentres tu primera y última afirmación, y a que las redactes con tus propias palabras.

La primera afirma mi conexión con el espíritu en todo momento; afirma mi ilustración. Sí, podemos afirmar nuestro camino a la ilustración de la misma manera que podemos afirmar nuestro camino al éxito económico. Todo depende de cómo definamos el concepto de ilustración, por supuesto. Me gusta contemplarlo de esta forma:

Estar ilustrado significa comprender quiénes y qué somos en realidad.

En realidad, nosotros y el campo cuántico somos uno, junto con todo lo que en él existe. No somos nuestro cuerpo; tampoco nuestros pensamientos, sentimientos ni percepciones. Estas cosas son pasajeras. Somos la fuerza eterna de la vida que anima nuestro cuerpo; somos la vida, la luz y el amor. Eso es lo que somos en realidad.

La siguiente es la primera afirmación de mi lista, pero te recomiendo que redactes la tuya con tus propias palabras:

De forma sencilla, apacible,
saludable y positiva,
en su momento idóneo
y para el mayor beneficio de todos, ruego...
El espíritu fluye a través de mí en todo momento
con su energía sanadora.
Me dejo guiar por el espíritu y cumplo la voluntad de Dios.
No opongo resistencia a la vida,
estoy en paz con lo que es,
lleno de gracia, facilidad y ligereza.
Eso es la ilustración.

La última afirmación de mi lista programa mi subconsciente con otras cosas de vital importancia en mi vida: la familia, el matrimonio, los amigos y, por lo menos para mí, el pasar *tiempo a solas*. Estas afirmaciones son un poco largas, de modo que normalmente sólo afirmo la versión reducida que me apetezca en ese momento.

De forma sencilla, apacible,
saludable y positiva,
en su momento idóneo
y para el mayor beneficio de todos, ruego...

Mi matrimonio, mi vida familiar y el tiempo que paso a solas,
están colmados de gracia, facilidad y ligereza.

Tengo mucho tiempo para mis familiares y amigos,
y mucho tiempo terapéutico para mí mismo.

Esto, o algo mejor,
se está manifestando,
de formas completamente satisfactorias y armoniosas,
para el beneficio de todos.
Que así sea. ¡Así es!

Reflexiona un poco sobre estas palabras y luego prueba de idear afirmaciones con tus propias palabras. Esta clase de palabras puede mostrarnos un atajo para alcanzar los deseos de nuestro corazón, y su efecto puede ser inmediato.

Reducción del estrés y meditaciones creativas

Está científicamente demostrado que las palabras orales y los pensamientos recurrentes ejercen un efecto profundo en el plano físico. Las palabras tranquilizadoras sosiegan el cuerpo, mientras que las palabras agresivas y violentas pueden estresarlo y perjudicarlo. ¡Vigila lo que dices! Todo tu cuerpo reacciona ante cualquier palabra.

Escuchar palabras o repetirlas en silencio en nuestra mente puede reducir el estrés y ayudarnos a gozar de mucha más salud. Si repetimos lo suficiente las palabras adecuadas, éstas, a su vez, pueden ayudarnos en muchos otros aspectos de nuestra vida, por ejemplo, a estar más saludables y a hallar el cumplimiento y la autorrealización.

Las siguientes meditaciones duran alrededor de veinte minutos cada una. Puedes hacer sólo algunas, o hacerlas todas para experimentar un viaje profundamente relajante de cuarenta minutos hacia el poder de las meditaciones creativas.

Puedes realizar estas meditaciones de diversas maneras: 1) un amigo tuyo te las puede leer mientras tú cierras los ojos y realizas la meditación; 2) tú mismo las puedes lees poco a poco, a medida que las realizas –lee una parte, cierra los ojos y repite las palabras para tus adentros–; 3) puedes grabarlas con tu propia voz, relajarte profundamente y escuchar la grabación (una ventaja de esta modalidad es que puedes cambiar todas las palabras que desees y expresarlo según tu propia manera); o 4) puedes escuchar la grabación que he realizado en inglés, titulada *Stress Reduction and Creative Meditations* («Reducción del Estrés y Meditaciones Creativas»).

No subestimes el poder de esta clase de meditaciones. Cuando se pronuncian en voz alta, estas palabras invocan grandes corrientes de energía creativa. Esta meditación es una de las pocas cosas que he seguido haciendo de forma habitual a lo largo de los años (principalmente porque la hago tumbado boca arriba y gozo mucho de la experiencia). No tengo la menor duda de que las siguientes palabras han ejercido un impacto drástico en mi vida.

MEDITACIÓN PARA REDUCIR EL ESTRÉS

Dedica los siguientes veinte minutos aproximadamente a una sesión de relajación profunda para reducir el estrés. Tu cuerpo, tu mente y tu espíritu lo agradecerán.
Tómate un tiempo para ponerte cómodo y disfruta de la sesión; uno se siente muy bien cuando se relaja profundamente…
Halla una silla cómoda o túmbate en algún lugar donde puedas tener veinte minutos de silencio, y regálate esta sesión de relajación profunda.

Cierra los ojos, inspira hondo y relaja el cuerpo mientras espiras…
Inspira hondo otra vez y relaja la mente mientras espiras y expulsas todos tus pensamientos…
Vuelve a inspirar hondo y expúlsalo todo…
Ahora cuenta del diez al uno, sintiéndote como una hoja en el aire que desciende con cada número: diez… nueve… ocho… siete… seis… cada vez más abajo… cinco… cuatro… tres… más y más abajo… dos… uno… *cero*…

Súmete en un estado de profunda relajación...
Deja ir todo el estrés, deja que se disipe toda la tensión...

Inspira y relaja los pies...
Siente cómo toda la tensión sale de tus pies... déjala ir; no la necesitas...
Inspira hondo y relaja los tobillos...
Libera la tensión de los tobillos y deja que ésta descienda por los pies y salga...
Inspira hondo y relaja las pantorrillas...
Libera la tensión de las pantorrillas y deja que ésta descienda por los tobillos y salga por los pies...
Deja que se libere toda...
Inspira hondo y relaja las rodillas...
Libera la tensión de las rodillas, suéltala y relájate...
Expúlsala toda...
Inspira hondo otra vez y, al espirar, libera la tensión de los muslos... suéltala y relájate...

Suéltala toda... no la necesitas para nada...
Inspira hondo y, al espirar, libera la tensión de las nalgas... suéltala y relájate...
Deja que descienda por las piernas y salga por los pies...
No la necesitas...
Haz una inspiración profunda y limpiadora, y libera la tensión de los órganos sexuales...
Suéltala toda y relájate...
Deja que se libere... no necesitas la tensión.
Inspira hondo y libera toda la tensión de las caderas y la cintura... suéltala toda...
Siente cómo se libera y relájate...
No la necesitas...

Inspira hondo y libera la tensión de la zona del vientre…
Siente cómo se libera y relájate…
Siente cómo se disipa toda la tensión, desde el vientre hasta abarcar tu mitad inferior del cuerpo…
Siente cómo todo se relaja…
Inspira hondo y deja que la parte baja de la espalda se relaje profundamente…
Libera toda la tensión de la parte baja de la espalda…
Suéltala toda… no la necesitas para nada…
Inspira hondo y deja que el plexo solar se relaje profundamente…
Libera toda la tensión… suéltala toda… no la necesitas.
Relajarse profundamente sienta muy bien…

Inspira hondo y advierte cualquier tensión que tengas en el corazón…
Deshazte de todo el estrés y la tensión de tu corazón… no los necesitas…

Esta clase de respiración profunda es la clave para la salud…
Cuando inspiras, absorbes oxígeno, vitalidad, vida…
Cuando espiras, te relajas y liberas
toda la tensión y el estrés…

Haz otra inspiración profunda y limpiadora…
Mientras espiras, deja que los pulmones se relajen profundamente y liberen toda la tensión…
Siente cómo se liberan y se relajan…
Inspira hondo, libera toda la tensión de la parte superior de la espalda y nota cómo ésta se relaja…
Deja que salga a través del cuerpo, para que todo tu cuerpo, desde lo alto hasta lo bajo de la espalda, esté profundamente relajado…

Haz otra inspiración profunda y limpiadora… cuando espires, siente cómo se libera toda la tensión de los hombros y éstos se relajan… y cómo sale toda la tensión de tu cuerpo… Deja que toda la tensión se disipe cuando espires… no la necesitas…

Haz otra inspiración profunda y limpiadora…

Cuando espires, deja que toda la tensión se libere de la parte baja del cuello…

Expúlsala toda…

Nota lo bien que sienta relajarse y liberar toda la tensión…

Inspira y deja que toda la tensión se libere de los brazos, descienda por el antebrazo y salga por las manos, suéltala y relájate…

Suéltala toda… no la necesitas para nada…

Haz otra inspiración profunda y limpiadora y deja que los codos liberen toda la tensión…

Deja que fluya por las manos y suéltala…

Haz otra inspiración profunda y limpiadora y deja que los antebrazos liberen toda la tensión…

Deja que fluya por las manos y suéltala…

Suéltala y relájate…

Haz otra inspiración profunda y limpiadora…

Cuando espires, deja que las muñecas liberen toda la tensión, y suéltala… no la necesitas…

Haz otra inspiración profunda y limpiadora y, cuando espires, deja que las manos liberen toda la tensión…

Suéltala y relájate… disfruta de la sensación de profunda liberación y relajación…

Haz otra inspiración profunda y limpiadora y, cuando espires, siente cómo se libera toda la tensión desde la parte baja del cuello y se relaja toda esta zona…

Suéltala toda… no la necesitas para nada…
Deja que se disipen todas las impurezas…
Permite que todo el estrés abandone tu cuerpo…
Nota lo bien que sienta estar profundamente relajado… y permítete ser…

Haz otra inspiración profunda y limpiadora y relaja la musculatura del rostro…
Siente cómo toda la tensión se libera y toda tu cara se relaja…
Expúlsala toda…
Haz otra inspiración profunda y limpiadora y relaja los pequeños músculos sensibles de los párpados…
Deja que se libere toda la tensión de esa zona y se relaje…
Expúlsala toda…

Haz otra inspiración profunda y limpiadora y libera toda la tensión de la parte posterior de la cabeza…
Siente cómo se libera y relájate…
Haz otra inspiración profunda y limpiadora y libera toda la tensión de la parte superior del cuero cabelludo…
Siente cómo se disipa y se libera…
Mientras espiras, la estás expulsando y te estás relajando…
Haz otra inspiración profunda y limpiadora y, cuando espires, siente cómo se disipa toda la tensión de todo tu cuerpo…
Expúlsala toda… suéltala y relájate…
Relajarse profundamente sienta muy bien…

Ahora erra con la mente a través de tu cuerpo… cuidadosa y afectuosamente…
Descubre si hay alguna zona con tensión… alguna parte donde sigas sintiendo tensión…
Si la hay, inspira hondo y lleva el aire a esa zona… y cuando espires, expulsa esa tensión…

Expúlsala toda… deja que tu cuerpo esté completa y profundamente relajado…
No necesitas nada de tensión, ni necesitas nada de estrés…
Expúlsalo todo…

Al inspirar, imagina que absorbes energía a través de los pies, y que ésta asciende por la parte izquierda del cuerpo, hasta la corona de la cabeza…
Al espirar, imagina que esta energía desciende por la parte derecha del cuerpo, desde la cabeza hasta los pies…
De nuevo, absórbela por la parte izquierda del cuerpo…
Imagina que esta energía limpia y fortalece todo tu cuerpo…
Cuando espires, haz que descienda por el lado derecho del cuerpo mientras lo limpia, lo fortalece y lo purifica…
Una vez más, cuando inspires, absorbe la energía por la parte izquierda del cuerpo… y cuando espires, haz que descienda por la parte derecha del cuerpo… y lo limpie, lo fortalezca y lo purifique…

Ahora, al inspirar, haz que ascienda por la parte posterior del cuerpo, hasta llegar a lo alto de la parte posterior de la cabeza…
Al espirar, haz que descienda por la parte delantera del cuerpo… por el rostro, el pecho, el vientre, las piernas, hasta abajo… y te limpie, purifique, fortalezca y relaje el cuerpo…
De nuevo, haz que ascienda por la parte posterior del cuerpo al inspirar… y que descienda por la parte delantera del cuerpo al espirar…
Báñate en ella… disfruta…
Otra vez, haz que ascienda por la parte posterior del cuerpo al inspirar… y que caiga en cascada por la parte delantera del cuerpo al espirar… hasta los pies…

Ahora, haz que ascienda por el centro del cuerpo al inspirar… pasando por el centro de energía dorada de la columna vertebral… hasta la corona de la cabeza…

Haz que caiga en cascada por la corona, provocando una hermosa lluvia dorada de energía relajante, fortalecedora, rejuvenecedora y vitalizadora…

De nuevo, al inspirar, haz que la energía ascienda por el centro del cuerpo, suba por la columna vertebral y alcance la corona…

Y deja que caiga en cascada al espirar… bañándote en una ducha de energía luminosa…

Otra vez, haz que ascienda… con el poder de tu imaginación, haz que esa energía ascienda por la columna y te alcance la corona…

Deja que caiga en cascada sobre ti y te bañe en una energía de luz dorada…

Ahora inspira hondo y, al espirar, relaja el cuerpo…

Inspira otra vez y, al espirar, relaja la mente y expulsa todos los pensamientos…

Inspira una vez más y, al espirar, expúlsalo todo…

Disfruta de tu profunda relajación…

Relajarse profundamente
sienta tan bien…

Tu cuerpo se está nutriendo ahora mismo… se está fortaleciendo… se está alimentando… está siendo bueno consigo mismo…

Tómate unos minutos más para relajarte profundamente…

MEDITACIONES CREATIVAS PARA LA SALUD, LA ABUNDANCIA Y LAS RELACIONES SATISFACTORIAS

Ahora nos tomaremos más o menos veinte minutos para realizar meditaciones creativas para la salud, la abundancia y las relaciones satisfactorias. Como con todas las meditaciones, siéntete libre de cambiar cualquier palabra a fin de que éstas encajen más contigo.

Busca un lugar cómodo donde sentarte o tumbarte, cierra los ojos e inspira hondo…

Al espirar, relaja el cuerpo…

Inspira otra vez y, al espirar, relaja la mente y expulsa todos los pensamientos…

Inspira una vez más y, al espirar, expúlsalo todo…

Relajarse profundamente sienta muy bien…

Inspira y cuenta del diez al uno, sintiéndote como si fueras una hoja en el aire, que desciende más y más con cada número… diez… nueve… ocho… siete… seis… más y más bajo… cinco… cuatro… tres… más y más bajo… dos… uno… *cero*…

Libera toda la tensión… suéltala y relájate…

Disfruta de la sensación de relajación…

Ahora sintoniza con tu cuerpo… siente su energía…

Siente cómo la energía vital corre por tu cuerpo… lo tranquiliza… relaja cada músculo…

Siente cómo esa energía vital nutre tu cuerpo… lo limpia, lo fortalece…

Imagina que tu cuerpo no es como crees que es ahora mismo, sino como realmente te gustaría que fuera…

Imagina que tu cuerpo es completamente perfecto…

Imagina que está fuerte y sano… que es radiante y hermoso… flexible y absolutamente puro…

Tu cuerpo es un sirviente perfecto para ti...
Es digno de ser querido, admirado y profundamente aprecia-
do...
Es algo que te atenderá bien...
Afirma para tus adentros:

Mi cuerpo está fuerte y sano...
Mi cuerpo está fuerte y sano...
Mi cuerpo está fuerte y sano.

Mi cuerpo me atiende bien...
Mi cuerpo me atiende bien...
Mi cuerpo me atiende bien.

Mi cuerpo está lleno de energía...
Mi cuerpo está lleno de energía...
Mi cuerpo está lleno de energía.

Mi cuerpo goza de un estado perfecto de salud...
Mi cuerpo goza de un estado perfecto de salud...
Mi cuerpo goza de un estado perfecto de salud.

Mi cuerpo cumple con mi propósito en la vida...
Mi cuerpo cumple con mi propósito en la vida...
Mi cuerpo cumple con mi propósito en la vida.

Mi cuerpo está fuerte y sano...
Mi cuerpo está fuerte y sano...
Mi cuerpo está fuerte y sano.

Mi cuerpo es perfecto en todos los sentidos...
Mi cuerpo es perfecto en todos los sentidos...
Mi cuerpo es perfecto en todos los sentidos.

Imagina que atraes energía a tu cuerpo… llenándolo de energía vital… llenándolo de fortaleza al inspirar… y limpiándolo y purificándolo al espirar…
Absorbiendo fortaleza y poder al inspirar…
Limpiando todas las impurezas y liberando todas las enfermedades al espirar…
Absorbiendo fortaleza y poder al inspirar…
Expulsando todas las impurezas y las limitaciones al espirar…

Mi cuerpo es el vehículo perfecto de mi expresión…
Mi cuerpo es el vehículo perfecto de mi expresión…
Mi cuerpo es el vehículo perfecto de mi expresión.

Mi cuerpo es mi sirviente perfecto…
Mi cuerpo es mi sirviente perfecto…
Mi cuerpo es mi sirviente perfecto.

Mi cuerpo goza de una salud perfecta…
Mi cuerpo goza de una salud perfecta…
Mi cuerpo goza de una salud perfecta… ¡y estoy agradecido por ello!

Ahora que hemos creado un cuerpo saludable, vamos a crear una vida plena y abundante de la que gozar…
Al inspirar, imagina que absorbes abundancia para tu cuerpo desde todas las direcciones…
Imagina que absorbes abundancia para ti… atraes energía para ti y reciclas esa energía para devolverla al universo…
Absorbes abundancia para ti y proyectas abundancia para el universo…
Imagina que atraes hacia ti todas las cosas buenas…
Imagina que eres un canal de las cosas buenas que salen al universo…

Afirma para tus adentros:

Con cada inspiración, absorbo abundancia…
Con cada espiración, riego a todos con mi abundancia…
Con cada inspiración, absorbo abundancia…
Con cada espiración, riego a todos con mi abundancia…
Con cada inspiración, absorbo abundancia…
Con cada espiración, riego a todos con mi abundancia.

Vivo en un universo abundante…
Vivo en un universo abundante…
Vivo en un universo abundante.

Atraigo hacia mí todo lo bueno que necesito…
Atraigo hacia mí todo lo bueno que necesito…
Atraigo hacia mí todo lo bueno que necesito.

Veo abundancia en todas partes…
Veo abundancia en todas partes…
Veo abundancia en todas partes.

Merezco ser rico y próspero…
Merezco ser rico y próspero…
Merezco ser rico y próspero.

Ahora soy rico y próspero en todos los sentidos que deseo…
Ahora soy rico y próspero en todos los sentidos que deseo…
Ahora soy rico y próspero en todos los sentidos que deseo.

Cuanto más doy, más retorna a mí…
Cuanto más doy, más retorna a mí…
Cuanto más doy, más retorna a mí.

Mi propia naturaleza es de abundancia…
Mi propia naturaleza es de abundancia…
Mi propia naturaleza es de abundancia.

Cada dólar que gasto regresa a mí multiplicado…
Cada dólar que gasto regresa a mí multiplicado…
Cada dólar que gasto regresa a mí multiplicado.

Utilizo mi abundancia en toda clase de maneras hermosas…
Utilizo mi abundancia en toda clase de maneras hermosas,
para mí y para los demás…
Utilizo mi abundancia en toda clase de maneras hermosas,
para mí y para los demás.

Soy rico, soy libre, fácilmente y sin esfuerzo…
Soy rico, soy libre, fácilmente y sin esfuerzo…
Soy rico, soy libre, fácilmente y sin esfuerzo.

Ahora que estamos sanos y tenemos abundancia, crearemos la
relación perfecta para nosotros…
Reproduce en la mente tu relación perfecta…
Tal vez tengas esa relación actualmente, o quizás crees que la
tienes, pero imagina a esa persona o personas que están con-
tigo ahora mismo…
Estáis unidas, en absoluta paz y armonía… fácilmente y sin
esfuerzo…
Imagina que estás unido con la persona que amas…
Imagina que compartes un amor profundo con ella, y sabes
que mereces esa relación que deseas…
Afirma para tus adentros:

Estoy creando mi relación perfecta…
Estoy creando mi relación perfecta…
Estoy creando mi relación perfecta.

Mi relación perfecta viene a mí, fácilmente y sin esfuerzo…
Mi relación perfecta viene a mí, fácilmente y sin esfuerzo…
Mi relación perfecta viene a mí, fácilmente y sin esfuerzo.

Me merezco amor…
Me merezco amor…
¡Me merezco amor!

Soy amor…
Soy amor…
¡Soy amor!

Doy amor, abiertamente y con libertad…
Doy amor, abiertamente y con libertad…
Doy amor, abiertamente y con libertad.

Vivo en un universo afectuoso…
Vivo en un universo afectuoso…
Vivo en un universo afectuoso.

Puedo trasmitir mis sentimientos más profundos con facilidad, honestidad y sin esfuerzo…
Puedo trasmitir mis sentimientos más profundos con facilidad, honestidad y sin esfuerzo…
Puedo trasmitir mis sentimientos más profundos con facilidad, honestidad y sin esfuerzo.

Mi honestidad y amor son la base de mi relación…
Mi honestidad y amor son la base de mi relación…
Mi honestidad y amor son la base de mi relación.

Mi amor y honestidad están creando mi relación ideal…
Mi amor y honestidad están creando mi relación ideal, aquí y ahora…

Mi amor y honestidad están creando mi relación ideal, aquí y ahora.

Doy amor, abiertamente y con libertad…
Doy amor, abiertamente y con libertad…
Doy amor, abiertamente y con libertad.

Mi amor, mi apertura y mi honestidad están creando mi relación perfecta…
Mi amor, mi apertura y mi honestidad están creando mi relación perfecta, aquí y ahora…
Mi amor, mi apertura y mi honestidad están creando mi relación perfecta, aquí y ahora.

Que así sea… así es…

Que así sea. ¡Así es!

Cuando se está profundamente relajado, el hecho de repetir palabras como éstas tiene un efecto en nuestra mente y nuestro cuerpo que podemos sentir con facilidad. Nunca subestimes las palabras que piensas, pronuncias y escribes; tienen un poder inmenso para bien o para mal.

Hagamos un pacto

Afirma al mundo que estás en proceso de crear la vida de tus sueños. Encuentra tus propias palabras, pronúncialas en voz alta y observa qué ocurre.

Hagamos el pacto de repetir afirmaciones como éstas:

De forma sencilla, apacible,
saludable y positiva,
en su momento idóneo,
para el mayor beneficio de todos,
ahora creo la vida y el mundo
de mis sueños.

Ahora vivimos y trabajamos
juntos, colaborando entre nosotros,
para crear un mundo que funcione para todos.

Que así sea. ¡Así es!

3

Comprender el sueño:
el poder de la palabra escrita

El acto de escribir es un acto mágico,
capaz de invocar los poderes de la creación.

El acto de escribir

Todo empieza con una idea o un sueño. Algo efímero, como hemos visto. Si la idea se traduce en una palabra, cobra poder, impulso e incluso gana fundamento, especialmente si la repetimos como una afirmación o un mantra. Si la palabra está escrita, se torna incluso más concreta y sólida.

Cuando anotamos nuestros sueños, objetivos, afirmaciones, tanto si las notas están esparcidas por todas partes como si las guardamos en una carpeta o una libreta, creamos nuestro propio juego de herramientas de mago y acontece algo verdaderamente mágico: nuestros deseos se convierten en intenciones. Y en cuanto tenemos intención de hacer, ser o tener algo, nada puede detenernos.

La palabra escrita es un dispositivo poderoso que puede convertir
los deseos en intenciones.

El acto de escribir es un acto mágico mediante el que representamos símbolos en una página para invocar los poderes de la creación.

Primero hablaré de los sencillos pasos que realicé para poner por escrito mis sueños y deseos y, a continuación, te guiaré para que tú también des esos pasos. Son pasos que *cualquiera* puede dar, y los resultados son poderosos.

El día que cumplí treinta años fue el día que cambió mi vida. Cogí un folio y escribí ESCENARIO IDEAL en la parte superior. Entonces me imaginé que habían pasado cinco años y que las cosas me habían ido todo lo bien que podía imaginar. Me atreví a soñar con mi *ideal*, la vida de mis sueños, y lo puse por escrito. Lo único que necesité fue un solo folio. Lo único que uno necesita es una o dos hojas de papel para crear algo que pueda cambiar su vida de manera rápida y drástica.

Me senté durante un rato frente a mi Escenario Ideal y, aunque estaba casi atosigado de dudas y temores, me di cuenta de que en éste había una lista de objetivos. Cogí otro folio y escribí SUEÑOS Y OBJETIVOS en la parte superior y los enumeré.

Empezar y crear una editorial de éxito. (En aquella época yo era un ejemplo de alguien pobre y completamente negado, sin trabajo, sin ahorros, sin el apoyo familiar y sin la menor idea acerca del funcionamiento de una empresa). Escribir un libro que tenga un impacto poderoso en el mundo. Grabar mi música. Introducirme en el mundo de las propiedades inmuebles y comprar un hogar hermoso en un lugar tranquilo y apacible. Gozar de una paz interior duradera y profunda. Ser todo lo vago que me apetezca ser. Divertirme. Mi ideal, si lo pensaba bien, era tener éxito *con facilidad*.

Este proceso no me llevó demasiado tiempo. Escribir mi Escenario Ideal me supuso alrededor de diez minutos. Enumerar mis objetivos me llevó otros diez. En veinte minutos, tenía un material escrito que trasformaría completamente mi vida.

Incluso los vagos pueden realizar una magia poderosa.
No se requiere mucho tiempo para ello.

El siguiente paso supuso tal vez quince minutos de concentración: cogí otro folio y escribí SUEÑOS Y OBJETIVOS FORMULADOS EN CLAVE DE AFIRMACIONES en la parte superior, con letra grande, y empecé a escribir *De forma sencilla, apacible, saludable y positiva, en su momento idóneo, para el mayor beneficio de todos...*

Entonces formulé todos los objetivos como si fueran afirmaciones, como si estuvieran haciéndose realidad. *En estos momentos estoy creando...* es una forma estupenda de comenzar. Mis primeros objetivos fueron: *En estos momentos estoy creando una editorial de éxito... En estos momentos estoy escribiendo un libro que tendrá un impacto poderoso en el mundo... En estos momentos estoy grabando una pieza hermosa de música que hará que las personas se maravillen con ella... En estos momentos estoy buscando un hogar en un lugar hermoso y tranquilo...*

Entonces añadí objetivos todavía más importantes:

Mi matrimonio, mi vida familiar y mis momentos a solas son fuentes de gran deleite, gracia, facilidad y ligereza...

El espíritu fluye a través de mí en todo momento con su energía sanadora. Me dejo guiar por el espíritu y cumplo la voluntad de Dios. No opongo resistencia a la vida, estoy en paz con lo que es y estoy lleno de gracia, facilidad y ligereza. En todo momento siento mi Ser. Eso es la ilustración.

Al principio tenía doce objetivos; ahora los he reducido sólo a seis. Terminé con aquello que denominamos una «Póliza de Seguros Cósmica»:

Esto, o algo mejor, se está manifestando en estos momentos, de forma completamente satisfactoria y armoniosa, para el mayor beneficio de todos.

Me prometí a mí mismo que leería la lista cada día pero, como soy tan vago, al final sólo conseguí leerla una vez o dos veces por semana de media. Aun así, estas palabras no tardaron mucho tiempo en grabarse en mi subconsciente. Sabía que las afirmaciones estaban teniendo un efecto porque se me empezaron a ocurrir planes para cada uno de los objetivos de forma sencilla y natural.

A lo largo de las siguientes semanas, después de haber escrito mis sueños y objetivos en clave de afirmaciones, simplemente llegaron a mi mente planes sencillos y factibles, y pronto tenía un plan de una página para cada uno de los objetivos principales.

Había dado con una forma deliciosamente sencilla de magia práctica. Ahora vamos a ver cómo puedes hacer lo mismo.

Escribir nuestro escenario ideal

Hacia el final del capítulo 1 hemos imaginado nuestro Escenario Ideal. Ahora vamos a anotarlo:

Siéntate, inspira hondo y relaja el cuerpo…
Inspira hondo otra vez, relaja la mente y deja que se vayan todos tus pensamientos…
Inspira hondo otra vez más y deja que se vaya todo…
Relájate en la quietud de tu radiante energía vital…

Permanece en este espacio tranquilo durante un rato…
Mientras permaneces en él, coge un folio de papel y escribe ESCENARIO IDEAL en la parte superior.
Imagina que han pasado cinco años y que ciertos profesores, libros y cursos brillantes te han inspirado tanto que las cosas te han ido todo lo bien que podrías imaginar.
¿Qué aspecto tiene tu vida?
¿Cómo es tu *escenario ideal*?

Empezamos con el ideal. Empezamos con el resultado final y lo tenemos presente durante cada paso del camino. Ésa es la clave. Surgirán dudas y temores que nos distraerán y nos desviarán de nuestro camino, pero cuando eso ocurra, simplemente encontraremos una forma de retomar nuestro rumbo y dar los siguientes pasos evidentes que nos acerquen a nuestro sueño, al objetivo que perseguimos en nuestra mente creativa.

Pon por escrito tu escenario ideal. Eso no quiere decir que sea inamovible; puede cambiar y, de hecho, cambiará una y otra vez. Revísalo de vez en cuando y asegúrate de que lo mantienes actualizado. Asegúrate de que te parecen bien todas las palabras. ¡Y estate preparado para expandir tu horizonte!

Escribir nuestra lista de objetivos

Siéntate, inspira hondo y relaja el cuerpo…
Inspira hondo otra vez, relaja la mente y deja que se vayan todos tus pensamientos…
Inspira hondo otra vez más y deja ir todo…
Relájate en la quietud silenciosa de tu Ser…
Eres un océano de luz…

En este espacio tranquilo, vuelve a leer tu Escenario Ideal. Todos tus objetivos más importantes están allí, en tu Escenario Ideal. Coge un folio y escribe SUEÑOS Y OBJETIVOS en la parte superior.
Ahora, enumera todos los objetivos que se te ocurran, todos los objetivos en los que desees centrarte.

Nota: he escrito mi lista de objetivos sólo una vez en mi vida. Después de eso, reescribí mi lista de objetivos en clave de afirmaciones, y ésa es la página que he ido reescribiendo con los años; ésa es la página que he llevado encima hasta el día de hoy y que reviso a menudo. Por lo tanto, hagámoslo ahora mismo:

Escribir nuestros objetivos en clave de afirmaciones

Te reto a que hagas esta breve tarea, que sólo te supondrá entre diez y quince minutos. ¡Te garantizo que invertirás bien esos diez o quince minutos de tu valioso tiempo!

Siéntate, inspira hondo y relaja el cuerpo...
Inspira hondo otra vez y relaja la mente... deja que se vayan todos tus pensamientos...
Inspira hondo otra vez más y deja que se vaya todo...
Relájate en la quietud silenciosa de tu Ser...

En este lugar tranquilo, coge un folio y escribe SUEÑOS Y OBJETIVOS EN CLAVE DE AFIRMACIONES en la parte superior; luego, reescribe todos tus objetivos, formulados como afirmaciones, como si cada uno de ellos se estuviese manifestando de forma sencilla, apacible, saludable y positiva...

Vuélvete a sentar y a relajarte, y lee para ti la lista de afirmaciones, ya sea en silencio o en voz alta.
Hazlo de forma habitual. Cuando lo hagas, te estarás centrando en el resultado final; lo tendrás presente. Siempre que lo hagas, volverás a encontrarte en el sendero de la creación mágica.

Siempre que leas tus afirmaciones, estarás dando claridad
al resultado final en tu mente.
Estarás de vuelta en el sendero corto y sencillo de la creación mágica.

No te preocupes si te cuesta encontrar las afirmaciones adecuadas de inmediato. Sigue trabajando en ellas, sigue leyendo más ejemplos de buenas afirmaciones (este libro está repleto de ellas) hasta que se te revelen las mejores palabras, aquellas palabras que simplemente te parecen las correctas.

La primera vez que escribí mis afirmaciones y las leí, pude sentir inmediatamente sus efectos. Esos sueños imprecisos y efímeros se tradujeron en pensamientos dirigidos. En mi mente, estas ideas se convirtieron en imágenes cada vez más nítidas y detalladas de las cosas que quería que ocurriesen en mi vida. Estos pensamientos se tornaron incluso más sólidos cuando conducían a la determinación de objetivos claros y concretos *de forma sencilla, apacible, saludable y positiva.*

Empecé a manifestar cosas en mi vida simplemente por el hecho de haberlas afirmado. Mis sueños distantes e imprecisos se convirtieron en posibilidades; con el tiempo, estas posibilidades se tornaron más nítidas en mi mente y, entonces, empecé a advertir que algunas de ellas –*quizás*– podían cumplirse. Comencé a advertir que algunos de los sueños eran realizables, y los siguientes pasos que debía dar me resultaron evidentes.

En algún momento, estos sueños imprecisos se convirtieron en claras intenciones y, en ese instante, empezaron a manifestarse de la misma manera que había estado afirmando. En algún momento, di con el sendero corto y sencillo de la creación mágica.

Anota tus afirmaciones. Llévalas encima. Repítelas a menudo, las veces que sean necesarias para que se arraiguen en algún lugar profundo de tu subconsciente. Sabrás cuándo eso ocurre porque empezarás a ver inmensos cambios en tu vida.

Escribir nuestros planes

En cuanto empieces a afirmar tus objetivos y sueños, en tu mente creativa empezarán a surgir planes de manera natural para cada uno de esos objetivos. Anota esos planes de manera breve y concisa; bastará con una página para casi todos tus objetivos.

Queremos que nuestros planes sean breves y sencillos y que estén escritos de tal manera que hasta un niño pueda entenderlos, porque cuando los escribimos estamos trabajando con nuestro subconsciente. Cuanto más breves y sencillos sean, más fácil será para nuestro subconsciente captarlos y aceptarlos.

Cuando nuestro subconsciente acepta nuestros objetivos, cuando el universo dice «¡Sí!» a nuestros planes, se nos muestra la manera exacta de alcanzar estos objetivos.

Siéntate, inspira hondo y relaja el cuerpo…
Inspira hondo otra vez, relaja la mente y deja que se vayan todos tus pensamientos…
Inspira hondo otra vez más y deja que se vaya todo…
Relájate profundamente en la quietud de tu radiante energía vital…

En este espacio tranquilo, coge un folio y escribe uno de tus objetivos con letra grande en la parte superior…
Luego, aguarda a ver qué plan surge de tu mente creativa y relajada para alcanzar ese objetivo…
¿Cuáles son las estrategias más eficaces que puedes imaginar para alcanzar el objetivo con el que estás soñando?
Traza un mapa breve y claro hacia el éxito. Este pequeño plan es tu programa de acción.

No te preocupes si los primeros planes que se te ocurren no son buenos. No tienen que ser muy creativos o brillantes para que funcionen, ni tienen por qué estar completos. Más adelante, a medida que sigas avanzando hacia tu objetivo, descubrirás más detalles. Por ahora, lo único que necesitas es un punto de partida, un plan muy sencillo; lo único que necesitas ver son los siguientes pasos que debes dar.

El juego de herramientas de un mago

Si has puesto por escrito algunos de tus objetivos, significa que tienes varias páginas de notas que tal vez quieras organizar de alguna manera.

Busca una carpeta con separadores a cada lado o pon tus notas en una libreta especial, sea la que sea. Cuando empecé, utilicé una carpeta con una hermosa imagen de montañas neblinosas. En mitad de la tapa, escribí con letras grandes: *En estos momentos estoy creando la vida de mis sueños.* Y firmé al final.

Más adelante, añadí las palabras *Juego de herramientas de un mago* en la tapa de la carpeta porque me di cuenta de que era eso precisamente lo que estaba creando. En tu carpeta o libreta, guarda todas las cosas que hayas escrito hasta la fecha: tu escenario ideal, tu lista de sueños y objetivos, tu lista de sueños y objetivos formulados en clave de afirmaciones y otras cosas que hayas escrito.

Coge los distintos planes que tienes para la consecución de tus objetivos y ponlos en los distintos separadores de la carpeta, con objeto de tener un espacio para cada uno de tus objetivos principales, así como tu carpeta o libreta principal.

En los separadores, coloca tus planes de una página encima de todo y, debajo, añade cualquier otro material escrito que tengas y que apoye ese proyecto en particular.

Crea tu propio juego de herramientas de mago, utilizando tu propio método y tus propias palabras. No dejes de añadir, revisar, modificar y actualizar el material. Podría ser una de las cosas más poderosas que hagas en tu vida.

Trazar el mapa del tesoro

Hace unos años impartí unos seminarios con Shakti Gawain en los que dábamos a los asistentes papel para dibujar, lápices de colores y montones de revistas, y les invitábamos a dibujar, cortar, pegar y hacer todo lo que quisieran para crear un gran póster con un mapa del tesoro.

Elabora un póster con imágenes visuales de las cosas que quieres hacer, ser y tener, con símbolos de tu creación mágica de éxito. Hazlo según tu propia y única manera (la variedad de los pósters que crearon los asistentes a nuestros seminarios fue asombrosa). El póster es un recordatorio de las cosas que quieres en tu escenario ideal, las cosas que quieres crear en la vida de tus sueños.

Ni siquiera me acuerdo de haber hecho uno, por lo que esta actividad apenas ha tenido un impacto en mi vida. Sin embargo, con los años he conocido a tantas personas que me han explicado la misma historia extraordinaria, que me veo obligado a incluir este proceso en la lista de las herramientas de mago más poderosas.

Con los años, docenas y docenas de personas me han relatado casi la misma historia: asistieron a uno de nuestros talleres y regresaron a casa con el mapa del tesoro que habían creado. Lo guardaron en alguna parte del armario y se olvidaron de él. Cinco o diez años después, volvieron a encontrarlo y se dieron cuenta de que *habían hecho realidad muchas de las cosas que había en su mapa del tesoro.*

Este proceso es tan efectivo para algunas personas –probablemente porque tiene tantos componentes visuales, tantas imágenes de lo que uno quiere en la vida, que quedan grabadas directamente en nuestro subconsciente– que sólo es necesario hacerlo una vez y, aunque nos olvidemos completamente de él, nos afectará de una forma tan profunda que reuniremos las fuerzas necesarias para crear lo que hemos imaginado.

Colgar citas en la pared

He aquí otra sencilla y modesta práctica que recomiendo encarecidamente y que practico bastante a menudo: siempre que leas unas palabras que te impresionen mucho, palabras que obviamente son ciertas y poderosas, palabras que quieras recordar y grabar en tu subconsciente, escríbelas o imprímelas en letras grandes y cuélgalas en la pared, en algún lugar donde las veas a menudo.

Escoge una cita especialmente poderosa, llévala en el bolsillo y reflexiona sobre ella a lo largo del día. Guarda las citas en un lugar donde puedas verlas hasta que las hayas memorizado. No dejes de repetirlas hasta que descubras que, de vez en cuando, te vienen a la mente en momentos en los que su mensaje es especialmente útil. Una de las primeras citas que recuerdo haber colgado en la pared es la siguiente:

> Te volverás tan grande como la aspiración que te domina...
> Aquel que adora su hermosa visión, un alto ideal en su corazón,
> un día lo verá realizado.
>
> JAMES ALLEN, *Como un hombre piensa, así es su vida*

Cuando te recuerdes a ti mismo constantemente lo verdaderas que son esta clase de palabras tan poderosas, será cuando estas palabras empiecen a producir cambios sutiles, y luego cambios importantes en tu mente, tu cuerpo y tu vida.

Anotar nuestros sueños

Anota tus sueños, anota la vida que quieres crear, y descubrirás el poder de la palabra escrita. Anota también cualquier sueño importante que tengas mientras duermes. Si te cuesta recordar lo que has soñado, antes de dormir repite las siguientes palabras: *Recordaré mis sueños y tendré claro su significado.*

En cuanto te despiertes por la mañana, relájate, deja que fluyan tus pensamientos y espera a ver si puedes recordar tus sueños. Si sientes que ya te has olvidado de lo que has soñado, prueba de recordar alguna imagen visual hacia el final del sueño. Este método se denomina «agarrar la cola de la serpiente»: uno recuerda el final de un sueño y trata de recordar su secuencia hasta el principio, recordando cada vez más.

Algunas personas dicen (y por consiguiente, se afirman a sí mismas) que no recuerdan sus sueños. Dite a ti mismo que sí puedes recordarlos y los recordarás (inténtalo justamente cuando te despiertes, antes de hacer nada más). Sé paciente y pronto recordarás tus sueños. Algunos de ellos carecen de sentido, por mucho que nos digamos a nosotros mismos que tendremos claro su significado; otros serán una buena terapia, pues nos ayudarán a trabajar y liberar nuestros temores y ansiedades; y otros serán mensajes poderosos de nuestro subconsciente que incluso cambiarán nuestra vida.

Quizás ya hayas tenido un sueño que te cambió la vida y que puedes recordar. Yo he tenido varios. Cuatro de ellos han permanecido conmigo a lo largo de los años; sigo recordándolos y siguen brindándome consuelo e inspiración. Te explicaré uno de estos sueños porque su mensaje es valioso tanto para ti como para mí.

Un sueño que cambió mi vida

Tenía treinta y pocos años; había creado mi propia editorial y era un desastre, pues estaba al borde de la quiebra. Los problemas no cesaban y sentía mucha ansiedad la mayor parte del tiempo.

Ahora, cuando miro atrás, lo veo desde una perspectiva más clara: mi vida era un desastre porque albergaba muchas creencias contradictorias que se contradecían. Una parte de mí creía que quizás el hecho de desear el dinero era algo pernicioso (¿acaso Jesús no había dicho algo así?). Otra parte creía que tal vez estos rituales mágicos que me sentía atraído a realizar me estaban llevando por el mal camino. Estaba intentando iniciar un negocio y tenía sentimientos contradictorios al respecto.

Entonces, una noche, tuve un sueño:

Estaba escalando una montaña con muchas rocas y peñascos, y la escalada era difícil. De pronto, llegaba a un sendero que rodeaba la ladera de la montaña. Caminar por ese sendero era mucho más fácil. Incluso aunque no ascendiera directamente, me estaba abriendo paso hacia la cima de la montaña.

Entonces veía algo en la distancia: una entrada a una cueva que llevaba al corazón de la montaña. Me acercaba a la entrada y ésta estaba cerrada por una puerta de hierro forjado. En el centro había una maraña de hierro que había intentado tocar y había comprobado que era una especie de rompecabezas. Después acercaba la mano y hallaba una empuñadura. La cogía, estiraba y descubría que era la empuñadura de una espada. Sacaba la espada de la puerta y ésta se abría.

El sendero que conducía al corazón de la montaña era oscuro y cada vez se estrechaba y se hacía más pequeño. Era aterrador, pero yo llevaba la espada. Al poco rato me encontraba de rodillas, moviéndome a tientas por un pequeño túnel. Al dar la vuelta a la esquina, veía una pequeña puerta delante de mí, lo suficientemente grande como para arrastrarme a través de ella. Estaba colmada de una luz dorada.

Al atravesar la entrada y ponerme de pie, me quedaba asombrado. La sala era una gran catedral, iluminada con la luz de millones de velas (a pesar de que no podía ver ninguna fuente de luz). El mismo aire era una luz radiante. Dejaba caer la espada porque allí ya no era necesaria.

Había tres grandes mesas de banquete; una cerca de mí, otra más lejos y otra en el centro de la sala. Me acercaba a la primera mesa: estaba cubierta de una tela blanca que colgaba hasta el suelo y repleta de toda clase de cosas: oro, dinero, instrumentos musicales, libros, pequeñas casas, pequeños coches, juguetes, joyas, fotografías, dispositivos electrónicos, baratijas. Y una voz interior me decía a la vez en silencio y con total nitidez:

Éste es el plano material.
No hay nada que se pueda rechazar de él.
¡Está aquí para que lo domines y lo disfrutes!

Durante un rato permanecía en silencio, y luego me acercaba a la siguiente mesa, que también estaba cubierta por una tela blanca que colgaba hasta el suelo. Sobre esta mesa sólo había cuatro objetos bien ordenados: un cáliz de oro, un sable largo, un bastón del que brotaban algunas hojas y un gran pentáculo dorado, los cuatro símbolos de la baraja del Tarot, las herramientas que tiene el mago sobre su mesa.

Y una voz interior me decía, en silencio pero con nitidez:

Éste es el plano astral, el plano de la creación mágica.
No hay nada que se pueda rechazar de él.
¡Está aquí para que lo domines y lo disfrutes!

Durante un rato permanecía en silencio y luego me acercaba a la tercera mesa, que se hallaba en el centro de ese lugar inmenso. También tenía un mantel blanco, pero se veía una luz reluciente y parecía tan poco sólido que uno podía atravesarlo con la mano. Sobre él no había nada; sólo brillaba con su propia luz.

Mientras lo observaba, una voz interior decía:

Éste es el plano espiritual.
No hay nada que alcanzar, ni nada que rechazar de él.
Es lo que eres, ahora y siempre.

Una fuerza llena de luz me levantaba del suelo y me llevaba al centro dorado de luz brillante de la catedral. Una vez allí, extendía los brazos y sentía cómo la luz entraba a través de mí, desde la cabeza a los pies. Flotaba en un océano de luz.

En ese momento me desperté; estaba tumbado boca arriba con los brazos bien abiertos. Todavía podía sentir cómo la luz irradiaba a través de mi cuerpo, desde la cabeza hasta los pies. Durante un buen rato apenas me moví mientras recordaba el sueño, a sabiendas de lo ciertas que eran las palabras, a sabiendas de que me habían ofrecido un gran obsequio.

Gran parte de mis dudas y temores se evaporaron. No hay nada que rechazar en el mundo material; no hay nada que rechazar en el mundo de la creación mágica. Están ahí para que los dominemos y disfrutemos. Somos seres espirituales, creaciones de luz y amor, y estamos aquí para experimentar una vivencia física enormemente satisfactoria y provechosa. Estamos aquí para crear la vida de nuestros sueños.

El poder de la palabra escrita

Ten las libretas a mano. Escribe notas. Recuerda todo lo que sabes. Exprésalo con tus propias palabras y a tu manera. Hay un mago, un visionario y un maestro poderoso en tu interior, esperando a que lo llames.

> Nunca olvides el poder de tus pensamientos y sueños, el poder de la palabra oral y el poder de la palabra escrita.

Somos seres infinitamente creativos. Es nuestra naturaleza. Somos parte de un universo inmenso que está en constante evolución. Tenemos el poder en nuestro interior de imaginar grandes cosas, de tener sueños maravillosos. Tenemos la capacidad de traducir esos sueños efímeros en palabras, y de convertir éstas en afirmaciones. Tenemos la capacidad de poner por escrito nuestros sueños, afirmaciones y planes.

Empezamos con nuestros sueños, preguntándonos una y otra vez cómo podemos hacer que estos sueños se hagan realidad en nuestra vida. Enumeramos nuestros sueños en un folio y afirmamos que se están haciendo realidad. Terminamos haciendo planes (ponemos por escrito planes concretos y consistentes) e implementamos esos planes, realizando cambios donde sea necesario.

Empezamos siendo unos soñadores y luego nos convertimos en poderosos seres creativos.

Que así sea. Así es, de forma sencilla, apacible, saludable y positiva, para el mayor beneficio de todos los implicados.

Los milagros acontecerán uno tras otro

Recuerdo la noche en que me di cuenta de que había alcanzado los objetivos que había escrito en mi lista de objetivos formulados en clave de afirmaciones (se habían hecho realidad de forma maravillosa y mágica) y las palabras *¡Misión cumplida!* me vinieron a la mente. Entonces, se me ocurrió la siguiente afirmación:

Los milagros acontecerán unos tras otro,
y las maravillas nunca cesarán,
porque todas mis expectativas son para bien.

Estas palabras se hallan en una pequeña y bonita caja de cristal, dispuestas de tal manera que se pueden leer a través del vidrio. Este tipo de recordatorios puede afectar –y afecta– a la calidad de nuestra vida cada vez que nos lo repetimos.

Que así sea. Así es.

Magia en pocas palabras:
El arte de la verdadera curación

*Dentro de todo hombre y toda mujer hay una fuerza
que dirige y controla todo el curso de nuestra vida.
Usada apropiadamente, esta fuerza puede curar toda aflicción
y todos los males a los que se halla expuesta la humanidad.*

ISRAEL REGARDIE, *El arte de la verdadera curación*

Cuando tenía poco más de veinte años, realicé una búsqueda descuidada, vaga e intuitiva a través de los libros de magia occidental. La mayoría de estos libros son extensos y complicados, y tratan de métodos que costaría décadas llegar a dominar. Además, muchos de estos métodos requieren la colaboración con un grupo comprometido de personas y, en muchos casos, con una jerarquía rígida según los distintos niveles de dominio.

Sin embargo, hay un pequeño libro que evita todas estas complejidades. Es una pequeña joya preciosa, publicada por primera vez en inglés en 1932, que es el mejor resumen de magia occidental que he encontrado: *El arte de la verdadera curación* de Israel Regardie.

La esencia del libro (como ya hemos visto) estriba en un pequeño ejercicio denominado Meditación del Pilar Medio. Las primeras palabras del libro nos brindan las herramientas de la magia en dos sencillas frases: *Dentro de todo hombre y toda mujer hay una fuerza que dirige y controla todo el curso de nuestra vida. Usada apropiadamente, esta fuerza puede curar toda aflicción y todos los males a los que se halla expuesta la humanidad.*

Y eso no es todo. *El arte de la verdadera curación* es, en realidad, *El arte de la verdadera magia*, porque nos da las claves de la creación mágica en todas las áreas de nuestra vida:

Son métodos
por medio de los cuales es posible estimular
la naturaleza dinámica del subconsciente
para trasformar la personalidad humana
en un poderoso imán que atraiga hacia sí
cualquier cosa que desee verdaderamente
o que sea necesaria para su bienestar.

¿Cuáles son estos métodos, exactamente? Resulta que son muy sencillos y *realizables*. Son métodos que comienzan con la relajación y la respiración, y que luego requieren que utilicemos nuestra mente creativa.

El arte de la verdadera curación ha afectado de forma manifiesta a mi vida más que cualquier otro libro sobre magia. Ya nos hemos introducido en él, y merece la pena dedicarle un poco más de tiempo. En primer lugar, explicaré con mis propias palabras algunas cosas más del libro. (Te invito a que tú también lo hagas, a que expreses con tus propias palabras ésta y cualquier otra cosa que aparezca en este curso). Luego echaremos un vistazo a la obra original.

Despertar nuestros centros energéticos

Cuando lo pensamos, resulta evidente: tenemos un conjunto de centros energéticos en nuestro cuerpo. En *El arte de la verdadera curación*, nos centramos en cinco centros energéticos. En muchas enseñanzas orientales hablan de siete centros. Empecé utilizando el sistema de los cinco centros, pero luego cambié al de siete, el de los chakras, de la corriente de pensamiento oriental. Cualquier sistema es válido, de modo que elige el que prefieras.

En el sistema de cinco centros, los centros energéticos se denominan Espíritu, Aire, Fuego, Agua y Tierra. El Espíritu está en la cúspide de la cabeza. El Aire es la energía que hay entre los ojos, así como también la energía que hay entre los ojos y la garganta, ésta incluida. El Fuego se halla en el corazón. El Agua es la parte baja del vientre (el *hara* en las tradiciones japonesas) y se extiende hasta incluir los órganos sexuales. La Tierra está en los pies e irradia hacia la tierra que hay debajo de éstos.

El sistema de siete centros es un poco distinto. Los chakras se extienden hasta un palmo de distancia y se hallan en la cúspide de la cabeza, el tercer ojo, la garganta, el corazón, el abdomen, los órganos sexuales y el chakra de la raíz, en la base de la columna vertebral, que nos conecta con la tierra.

En el capítulo 1 hemos practicado meditaciones para despertar nuestros centros energéticos, y más adelante haremos más. La mayoría de ellas implican imaginar estos centros por separado y conectarlos con un pilar brillante de luz que discurre por la línea media de nuestro cuerpo.

¿Por qué se denomina Pilar Medio?

La Meditación del Pilar Medio pertenece a la Cábala, la tradición de la magia occidental que consiste en el estudio del Árbol de la Vida. (Hablaré de ello con más profundidad en el capítulo 9: «Eres el Árbol de la Vida»).

Toda la creación proviene del Árbol de la Vida. Desde nuestra perspectiva está invertido, porque sus raíces están en el cielo. Toda la creación empieza en los niveles espirituales superiores y desciende a los niveles más densos de la mente, y luego la emoción, hasta que finalmente se manifiesta en el nivel sólido de la realidad física.

Nuestro cuerpo también refleja el Árbol de la Vida en su totalidad. Somos un microcosmos que refleja todo el macrocosmos. Como es arriba, es abajo. El Árbol de la Vida tiene tres pilares; en nuestro cuerpo, están en el lado izquierdo, el derecho y el centro. Cuando hacemos la Meditación del Pilar Medio, nos concentramos en notar la energía que circula por el centro de nuestro cuerpo, que asciende y desciende por la columna vertebral.

Una historia milagrosa que constituyó un *arte de verdadera curación*

No hace mucho tiempo, estaba hablando con un viejo amigo que me dio la espeluznante noticia de que su mujer tenía cáncer cervical, un quiste que los médicos creían que probablemente era maligno. Incluso habían llegado a decir que tenía un 98 por 100 de posibilidades de que el tumor fuese mortal.

En cuanto me lo dijo, le pregunté si disponía de un ejemplar de *El arte de la verdadera curación.* Me respondió que creía que no, así que inmediatamente le envié por correo electrónico una copia en PDF del libro, y me apresuré a enviarle también un libro impreso para él. Le dije que se sentara junto a su mujer, leyera el comienzo del libro y pusiera las manos sobre la zona que tenía que sanar. Empezó a hacerlo de inmediato.

Dos semanas más tarde acudieron al médico y, en esta ocasión, después de las pruebas, les dijeron que tenía un 50 por 100 de posibilidades de supervivencia. Continuaron haciendo los ejercicios terapéuticos del libro. Cuando volvieron al hospital alrededor de una semana después, los médicos afirmaron que no había rastro de células cancerígenas. Su quiste era benigno.

No hace ningún bien negar el poder de esta clase de curación, mientras que resulta muy beneficioso ponerla en práctica.

El arte de la verdadera curación

Este curso no estaría completo si no incluyéramos la revisión en profundidad del pequeño libro que cambió mi vida.

Israel Regardie empieza su libro sin ningún tipo de prólogo o introducción. Yo añadí unas pocas palabras a modo de introducción para la edición impresa de New World Library, e incluiré algunas de ellas a continuación.

INTRODUCCIÓN

En los últimos tiempos se ha escrito y hablado mucho sobre la curación y la mente. Por supuesto, las dos están estrechamente relacionadas, y el hecho de comprender la conexión entre la mente y el cuerpo ha pasado a formar parte de la cultura común.

Israel Regardie escribió sobre el tema de manera brillante hace muchos años, y escribió sobre la conexión entre la mente y el cuerpo de una forma que nadie más había escrito antes ni ha escrito desde entonces…

El subtítulo original dice que este libro es *Un tratado sobre el mecanismo de la oración y el funcionamiento de la ley de la atracción en la naturaleza.* Aunque este subtítulo parece un poco largo según los criterios actuales, el significado de estas palabras es profundo y poderoso.

A lo largo de los ejercicios de este libro, convertimos la oración o cualquier deseo de mejorar nuestra vida o la vida de los demás en un instrumento poderoso para el cambio.

En cuanto uno prueba la Meditación del Pilar Medio, en cuanto uno experimenta sus efectos, probablemente estará de acuerdo conmigo en que la verdadera magia existe y que cada uno de nosotros puede ser un mago y un sanador, capaz de mejorar nuestra vida y la vida de aquellos a los que amamos.

De ahora en adelante, hasta casi el final del capítulo, las palabras son las de Israel Regardie en *El arte de la verdadera curación*. He marcado sus palabras con una sangría a derecha e izquierda y añadido sólo algunos comentarios, que no están marcados con sangría. Merece la pena leer, releer y estudiar estas palabras.

Al principio de la obra el autor se lanza a la esencia del libro, y sus primeras dos frases resumen directa y poderosamente la obra completa:

LA FUERZA DE LA VIDA

> Dentro de todo hombre y toda mujer hay una fuerza
> que dirige y controla todo el curso de nuestra vida.
> Usada apropiadamente, esta fuerza puede curar toda aflicción
> y todos los males a los que se halla expuesta la humanidad.

> Esto nos lo dicen todas las religiones. Todas las formas de curación mental o espiritual, sin importar el nombre que se les dé, prometen esto mismo. Incluso el psicoanálisis y otras terapias emplean este poder sanador. Y es que la introspección crítica y la comprensión que genera libera tensiones de distintos tipos, y a través de esta liberación, el poder curativo interno, latente y natural del sistema humano, opera con más libertad.

> Cada uno de nosotros puede comenzar en sí mismo esta tarea de reconstrucción.

Cada uno de nosotros puede descubrir la fuerza
que puede provocar la verdadera curación
de nuestro cuerpo y nuestra mente...

Si volvemos el ígneo poder de la mente hacia su propio interior, podremos ser conscientes de corrientes de fuerzas previamente insospechadas; corrientes, cuya sensación es casi eléctrica, y cuyos efectos son curativos e integrantes.

El uso dirigido de semejante fuerza es capaz de aportar salud al cuerpo y a la mente. Cuando se la dirige como es debido, actúa como un imán. Proporciona, a quienquiera que utilice estos métodos, los dones de la vida, materiales o espirituales, que urgentemente necesita, o que se requieren para su posterior evolución.

Fundamentalmente, la idea subyacente en todos los sistemas de curación mental es ésta: En el ambiente que nos rodea, configurando la estructura de cada minúscula célula del cuerpo, existe una fuerza espiritual, un campo de energía. Esta fuerza es omnipresente e infinita. Se encuentra tanto en el objeto más infinitesimal como en la nebulosa o el sistema de proporciones más impresionantes. Esta fuerza es la vida misma.

En toda la vasta extensión del espacio no hay nada muerto. La vida vibra y late en todo cuanto existe. Incluso las ultramicrocósmicas partículas del átomo están vivas.

Al ser infinita esta fuerza vital, podemos concluir que el hombre debe estar saturado de ella. Debe estar atravesado totalmente por esta fuerza espiritual. Ésta constituye su ser superior, su vínculo con la deidad, es Dios en el hombre. Toda molécula de su sistema físico estará empapada con su energía dinámica. Cada célula del cuerpo la contiene plenamente...

EL PRIMER PASO: COMPRENDER

El primer paso hacia la libertad y la salud
es ser conscientes
de la vasta reserva espiritual de energía en la que vivimos,
nos movemos y tenemos nuestro ser.

Un esfuerzo intelectual repetido para convertir esto en una parte y una parcela de la propia perspectiva mental hacia la vida, derrumba automáticamente, o al menos disuelve, algo de la dura e inflexible concha que la mente ha creado. Entonces la vida y el espíritu se derraman abundantemente sobre nosotros. La salud surge de un modo espontáneo, y cuando nuestro punto de vista sufre este cambio radical, comienza una nueva vida.

Más aún, todo parece indicar que a partir de ese momento el entorno comienza a atraer precisamente a las personas que de diversos modos pueden ayudarnos, y también a todo aquello que esperábamos desde hacía mucho tiempo.

El primer paso es puramente mental, e implica un cambio en nuestra percepción de la vida, con el que nos damos cuenta de que estamos en mitad de una vasta reserva de energía sanadora.

EL SEGUNDO PASO: LA RESPIRACIÓN RÍTMICA

El segundo paso se encamina en una dirección ligeramente diferente: la respiración, un proceso realmente sencillo y, como veremos, bastante efectivo cuando se hace repetidamente...

Sentémonos con una postura cómoda o tumbémonos boca arriba, en un estado de absoluta relajación. Si optamos por sentarnos, podemos poner las manos sobre el regazo o dejar que descansen con comodidad sobre los muslos, con las palmas hacia arriba. Si optamos por tumbarnos, las manos deberían estar cómodas, colocadas a cada lado del cuerpo con las palmas hacia arriba.

Dejemos que el aliento fluya hacia nuestros pulmones mientras contamos mentalmente muy despacio... uno... dos... tres... cuatro... Luego espiremos contando del mismo modo.

Es fundamental y de gran importancia que el ritmo inicial, ya sea de cuatro, de diez o de cualquier otro número, se mantenga. Porque precisamente el ritmo es el responsable de la rápida absorción de la vitalidad procedente del exterior, y de la aceleración del divino poder interno.

Todas las partes del universo manifiestan un ritmo inmutable. Éste es un proceso vivo, cuyas partes se mueven y se rigen por leyes cíclicas. Mirad al sol, las estrellas y los planetas. Todos se mueven con una gracia incomparable, con un ritmo y unos tiempos inexorables. Sólo la humanidad ha vagado, en su ignorancia y autocomplacencia, lejos de los ciclos divinos de las cosas. Hemos interferido en los procesos rítmicos de la Naturaleza, ¡y qué caro lo hemos pagado!

> Por medio de la respiración rítmica y pausada,
> podemos sintonizar, una vez más,
> con el inteligente poder espiritual que funciona
> en todo el mecanismo de la naturaleza.

Haced, pues, la respiración rítmica a ciertos tiempos fijos del día o la noche cuando haya pocas posibilidades de ser molestado.

Cultivad sobre todo el arte de la relajación. Aprended a dirigiros a cada músculo tenso, desde las puntas de los pies hasta la cabeza, mientras permanecéis acostados en la cama boca arriba. Decidles a cada uno de vuestros músculos que suelten su tensión y que cesen su contracción inconsciente. Pensad en la sangre a medida que fluye copiosamente hasta cada órgano en respuesta a vuestro mandato, llevando la vida y la nutrición a todas partes, produciendo un estado de salud resplandeciente y radiante.

Sólo después de haber realizado estos procesos, deberéis comenzar con vuestra respiración rítmica, lentamente y sin prisa. Gradualmente, a medida que la mente se acostumbre a la idea, los pulmones adoptarán el ritmo de un modo espontáneo y en unos pocos minutos se habrá hecho automático. Todo el proceso se vuelve entonces extremadamente sencillo y agradable.

Sería imposible sobrestimar su importancia o su eficacia. A medida que los pulmones toman el ritmo, inspirando y espirando con un compás mesurado, lo comunican y lo extienden gradualmente a todas las células y tejidos de su alrededor. Igual que una piedra arrojada a un estanque envía ondas expansivas y círculos concéntricos de movimiento, así hace el movimiento de los pulmones.

En unos pocos minutos todo el cuerpo vibra al unísono con su actividad. Cada célula parece vibrar simpáticamente. Y muy pronto, todo el organismo se siente como si fuera una batería inagotable de fuerza y poder. La sensación —y *debe* ser una sensación— es inconfundible.

Por simple que parezca, este ejercicio no debe ser menospreciado.

El resto del sistema se apoya sobre el dominio
de esta técnica tan sencilla.

Dominadla primero. Aseguraos de que podéis relajaros completamente, y empezad después con la respiración rítmica tras unos pocos segundos.

LOS CENTROS ENERGÉTICOS

Existen cinco importantes centros espirituales de energía. Dado que la mente humana gusta de clasificar y tabular las cosas, vamos a darles un nombre, permítaseme darles los nombres menos comprometidos que uno pueda imaginar, de modo que no pueda oponérseles ningún sistema de prejuicios. Así, para nuestra comodidad, al primero le podemos llamar Espíritu, al segundo Aire, a los siguientes Fuego, Agua y Tierra.

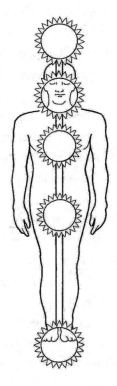

El diagrama muestra la posición y la localización de estos centros. En ningún momento pretendo que se entienda que estos centros son de naturaleza y posición física (aunque pueda haber paralelismos glandulares). Existen en una parte más sutil, espiritual o psíquica, de la naturaleza del hombre. Podemos incluso considerarlos no como realidades en sí mismas, sino como símbolos, símbolos grandes, redentores y salvadores.

Bajo ciertas condiciones podemos ser conscientes de ellos, del mismo modo que podemos ser conscientes de diferentes órganos existentes en nuestros cuerpos físicos. En general damos por hecho que la razón está situada en la cabeza, refiriendo la emoción al corazón y el instinto al estómago. De un modo similar, existe una correspondencia natural entre estos centros y varias partes del cuerpo.

Existen tres mecanismos o medios principales por los que podemos ser conscientes de estos centros, para despertarlos de su estado durmiente, a fin de que puedan funcionar de un modo apropiado: estos tres medios son el *pensamiento*, el *color* y el *sonido*.

La mente debe concentrarse en la supuesta posición de estos centros uno por uno. Entonces deberán entonarse y vibrarse ciertos nombres que han de considerarse como ritmos vibratorios. Finalmente, se visualizará cada centro como si tuviera un color y una forma particular.

La combinación de estos tres agentes despierta gradualmente a los centros sacándolos de su estado latente. Lentamente son estimulados entonces al funcionamiento, cada uno de acuerdo con su propia naturaleza, vertiendo una corriente de energía y poder altamente espiritualizados en el cuerpo y en la mente del individuo.

Cuando finalmente su funcionamiento llega a ser habitual y estabilizado, el poder espiritual que generan puede ser dirigido a voluntad para curar diferentes aflicciones y enfermedades, tanto de naturaleza psicológica como física. También se puede comunicar por una simple imposición de manos a otra persona. Simplemente pensando con firmeza e intención, la energía puede incluso comunicarse de mente a mente telepáticamente, o trasmitida a través del espacio a otra persona que se halle a muchos kilómetros de distancia no ofreciendo los objetos en el espacio ninguna interrupción u obstáculo a su paso.

LA MEDITACIÓN DEL PILAR MEDIO

En primer lugar, para estimular los centros a la actividad hay que comenzar sentándose o tumbándose boca arriba en un estado perfectamente relajado, como hemos hecho antes en el ejercicio preliminar.

Si optamos por sentarnos, podemos recoger las manos en el regazo o bien dejar que descansen con comodidad sobre los muslos, con las palmas hacia arriba. Si optamos por tumbarnos, las manos deberían estar cómodas, colocadas a cada lado del cuerpo con las palmas hacia arriba. Debe inducirse la calma de la mente, y tras varios minutos de respiración rítmica debería percibirse la sensación de una suave ondulación sobre el diafragma.

Imaginad después por encima de la corona o cúspide de la cabeza una bola o esfera de luz blanca o dorada brillante. No forcéis a la imaginación para visualizar esta esfera de luz. La fuerza sólo generaría tensión neuromuscular, y esto impediría nuestro propósito. Deberá hacerse con tranquilidad y soltura. Si la mente vaga, como de hecho lo hará, esperad un momento y volvedla atrás suavemente.

Al mismo tiempo, vibrad o entonad un sonido. Tenéis varias opciones:

1. Podéis tararear un tono que aparente resonar lo más rigurosamente posible en la luz de vuestro centro. O podéis entonar el tono en el centro de la garganta y dirigirlo mentalmente al centro que elijáis.
2. Podéis entonar la palabra de la tradición mística judeocristiana que sea adecuada para ese centro en particular. Para el primer centro, la palabra que podéis vibrar o entonar es *Eheieh*, pronunciada como *E-he-ie*. (En breve hablaremos de estas palabras con más detalle).
3. Podéis entonar un equivalente en español de ese término antiguo. Para el primer centro, las palabras a entonar son *Yo soy*.
4. Podéis meditar prestando atención a cada centro, y descubrir las palabras o sonidos que tienen poder y significado para vosotros.

Llegados a este punto debo añadir un comentario. Al principio probé varias de estas propuestas. Sin embargo, a medida que pasó el tiempo, dejé de producir sonidos y me centré en la energía luminosa de los distintos centros. El sonido no es esencial para que la tarea resulte fructífera, como tampoco lo es el hecho de imaginar palabras para los distintos centros energéticos. Si os sentís cómodos produciendo alguna clase de sonido, hacedlo, puesto que hará que los resultados sean mucho más poderosos. Pero el sonido no es necesario. He hecho esta meditación completamente en silencio durante muchos años y he visto resultados sorprendentes.

Además, el autor nos pide que «dejemos descansar la mente» en los distintos centros aproximadamente durante cinco minutos, lo que implicaría dedicar veinticinco minutos a esta parte de la meditación. Yo dedico mucho menos tiempo en cada centro. A veces sólo llego a respirar una vez con cada uno de ellos, cuando quiero avanzar a otras partes de la meditación, como a la circulación de la fuerza, a la sanación o a la atracción de la abundancia.

Después de unos pocos días de práctica será fácil imaginar el nombre vibrando por encima de la cabeza en el centro llamado Espíritu. Ésta es la divinidad inmanente que nos cubre a cada uno de nosotros, el ser espiritual básico del que todos podemos extraer energía y del que todos formamos parte. *Eheieh* significa literalmente *Yo soy*, y este centro representa la conciencia interna del *Yo soy*.

El efecto de dirigir así la vibración, mentalmente, es el de despertar el centro a la actividad dinámica. Una vez que empieza a vibrar y rotar, se sienten emanar hacia abajo luz y energía, tanto sobre la personalidad como dentro de ella. Enormes cargas de poder espiritual se abren camino en el cerebro, y todo el cuerpo se siente inundado de vigor y vida. Incluso las puntas de los dedos de las manos y de los pies reaccionan al despertar de la esfera coronaria (el Espíritu) por una ligera sensación de picor que se siente al principio.

Si entonáis una palabra o un nombre en vez de tararear un tono, éstos deberían entonarse durante las primeras semanas de práctica en un tono de voz moderadamente audible y sonoro. A medida que se va adquiriendo mayor soltura, la vibración puede practicarse en silencio, siendo la palabra o el nombre imaginado y situado mentalmente en dicho centro. Si la mente tiende a vagar, la repetición frecuente de esta vibración servirá de gran ayuda para la concentración.

Tras dejar descansar la mente durante unos cinco minutos, en los que verá brillar y centellear, imaginad que emite hacia abajo una banda blanca o dorada, a través del cráneo y del cerebro, deteniéndose en la garganta. Aquí se expande para formar una segunda bola de luz, que debería incluir una gran parte de la cara hasta las cejas.

Con esta esfera (a la que llamamos el centro del Aire), debe seguirse una técnica similar a la que se hizo con la anterior. Debería ser formulada fuerte y vivamente como una esfera centelleante de luz dorada o blanca brillante, resplandeciendo y brillando desde dentro.

El nombre a vibrar es *JehovaElohim*... pronunciado como *Ye-ho-vaE-lo-him*. También podéis utilizar las palabras *Yo veo, yo hablo*, meditar sobre este centro y concebir vuestras propias palabras, o simplemente sumiros en la radiante luz de ese centro.

Los nombres tradicionales de los centros (*Eheieh*, *JehovaElohim*, etc.) en realidad son nombres adscritos a Dios en varias partes del Antiguo Testamento. La diversidad y la variación de estos nombres se atribuyen a las diferentes funciones divinas. Cuando Dios actúa de cierta manera, es descrito por los escribas bíblicos por un nombre. Cuando hace otra cosa, se usa otro nombre más apropiado a Su acción.

El sistema que estoy describiendo ahora tiene sus raíces en la tradición mística hebrea. Sus antiguos innovadores fueron hombres de exaltadas aspiraciones religiosas y gran genio. Cabe esperar que fuera proyectada por ellos una base religiosa en este sistema psicológico científico.

Pero debe explicarse que para nuestros actuales propósitos el uso de estos nombres divinos bíblicos no implica connotación religiosa alguna. Cualquiera puede usarlos sin suscribirse en lo más mínimo a las antiguas opiniones religiosas, ya sea judío, cristiano, hindú, budista, musulmán, alguien que rinde culto según sus tradiciones indígenas, ateo o de cualquier otra corriente.

Es un sistema puramente empírico que tiene éxito a pesar del escepticismo o la fe del operador. Podemos considerar estos nombres sagrados en una luz enteramente diferente y práctica. Son notas clave de diferentes constituyentes de la naturaleza del hombre, puertas de entrada a otros tantos niveles de esa parte de la psique de la cual somos generalmente inconscientes.

Son frecuencias vibratorias o firmas simbólicas de los centros psicofísicos que estamos describiendo. Su uso como notas vibratorias clave despierta a la actividad los centros con los que su frecuencia se halla en simpatía, trasmitiendo a nuestra conciencia algún reconocimiento de los distintos niveles del aspecto espiritual e inconsciente de nuestras personalidades. De aquí que su verdadero significado religioso no nos concierna ahora. Ni tampoco su traducción literal.

Para referirnos de nuevo al centro del Aire, en la garganta, los sonidos vibratorios deberán entonarse un cierto número de veces, hasta que su existencia sea reconocida y sentida claramente como una experiencia sensorial definida. No hay confusión posible en la sensación de su despertar.

Para formularla, y también para los centros siguientes, debería emplearse aproximadamente el mismo tiempo que se le dedicó a la contemplación del centro del Espíritu. Cuando haya trascurrido dicho tiempo, se debe dejar que baje una banda de luz desde ella, con la ayuda de la imaginación.

Descendiendo a la región del plexo solar, justo debajo del esternón, la banda de luz se expande de nuevo para formar una tercera esfera. Ésta es la posición del centro del Fuego.

La atribución del fuego a este centro es particularmente apropiada, porque el corazón se halla notoriamente asociado con la naturaleza emocional, con el amor y los sentimientos superiores. El diámetro de esta esfera cardíaca debería ser como para hacerla extenderse desde la parte frontal del cuerpo hasta la espalda.

Vibrad aquí el nombre *Jehovah Eloah ve-Daas*, pronunciado como *Ye-ho-va E-loah ve-Daas*. Vibrad aquí las palabras *Yo amo*.

Tened cuidado de que la entonación vibre dentro de la esfera blanca o dorada formulada. Si esto se hace adecuadamente, se sentirá emanar una radiación de calor desde el centro, que estimulará suavemente todas las partes y los órganos de alrededor.

Puesto que la mente funciona en el cuerpo y a través del cuerpo, siendo una extensión de él, las facultades mentales y emocionales resultan estimuladas igualmente por el flujo dinámico de energía procedente de los centros. La dura barrera erigida entre la conciencia y el inconsciente, especie de tabique blindado que impide nuestra expansión libre y obstaculiza el desarrollo espiritual, se va disolviendo lentamente. A medida que pasa el tiempo y la práctica continúa, puede desaparecer por completo, y entonces la personalidad adquiere gradualmente integración y plenitud.

> Así la salud se expande a todas
> las funciones de la mente
> y del cuerpo, y la felicidad aparece como
> una bendición permanente.

Seguid llevando la banda hacia abajo, desde el plexo solar hasta la región pélvica, la zona de los órganos reproductores: el centro del Agua. Aquí también, ha de visualizarse una esfera radiante, aproximadamente de las mismas dimensiones que la superior. Y también se debe entonar un nombre para producir una rápida vibración en las células y moléculas del tejido de esa región. *Shaddai El Chai* debe pronunciarse *Sha-dai El Chai*. Los términos a entonar en español son *Yo creo*.

Hay que permitir que la mente se detenga en la formulación imaginativa durante algunos minutos, visualizando la esfera como de una brillantez blanca o dorada.

Y cada vez que la mente vague desde tal brillantez, como al principio estará obligada a hacerlo, dejadla volver suavemente con las vibraciones repetidas y poderosas del nombre, las palabras o el tono que asocies a ese centro...

El paso final es visualizar de nuevo la banda descendiendo desde la esfera reproductiva, moviéndose hacia abajo a través de los muslos y las piernas, hasta llegar a los pies. Allí se expande desde un punto por debajo del tobillo, y forma una quinta esfera. Hemos llamado a éste el centro de la Tierra.

Que la mente formule aquí, exactamente como antes, una brillante esfera deslumbrante del mismo tamaño que las anteriores. Vibrad ahora el nombre *Adonai ha-Aretz* como *A-donai ha-A-retz*, o las palabras *Yo bendigo*.

Después de haber empleado varios minutos en despertar este centro con un pensamiento fijo y persistente y con la vibración repetida del nombre, deteneos ahora unos momentos.

Tratad luego de visualizar claramente la banda completa de luz plateada o dorada, como si estuviera adornada con cinco vistosos diamantes de incomparable brillantez.

Visualizad toda la banda, extendiéndose desde la cúspide de la cabeza hasta las plantas de los pies. Unos pocos minutos bastarán para conferir realidad a este concepto, haciéndoos conscientes de las poderosas fuerzas que, al actuar sobre la personalidad, son finalmente asimiladas en el sistema psicofísico después de su trasformación y su paso a través de los centros imaginativos.

La combinación de la respiración rítmica junto a la visualización voluntaria del descenso de la energía a través de la banda de luz del Pilar Medio, como también se la llama, produce los mejores resultados.

AÑADIR COLOR

A medida que se adquiere destreza y uno se va familiarizando con los centros, puede añadirse el siguiente paso a esta técnica. Anteriormente he mencionado que el color es de gran importancia. Cada centro tiene una diferente atribución de color, aunque es prudente, durante cierto tiempo, abstenerse de usar otro color que no sea el blanco o el dorado.

Se atribuye el color blanco o dorado al centro del espíritu o centro coronario. Es el color de la pureza, del espíritu y de la divinidad. Representa, más que un constituyente humano, un principio universal y cósmico que cubre a toda la humanidad. A medida que descendemos en la banda, sin embargo, los colores cambian.

Al centro del Aire o de la garganta se le atribuye el color lila, que representa particularmente las facultades mentales y la conciencia humana como tal.

Para el centro del Fuego, el rojo es una asociación obvia que no requiere posterior comentario.

El azul es el color referido al centro del Agua; es el color de la paz, la calma y la tranquilidad, ocultando una fuerza y una virilidad enormes. En otras palabras, su paz es la paz de la fuerza y el poder, más que la inercia de la mera debilidad.

Por último, el color referido al centro inferior al de la Tierra es el bermellón, el rico y profundo color de la tierra misma, que es el fundamento sobre el que estamos asentados.

Cada uno de estos centros tiene una especie de afinidad o simpatía con un constituyente espiritual distinto. Un centro tiene que ver o está asociado con las emociones y los sentimientos, mientras que otro tiene una base definidamente intelectual. De aquí se sigue lógicamente, y la experiencia demuestra este hecho, que su actividad y su estimulación equilibradas evocarán una reacción simpática en todas las partes de la naturaleza del hombre.

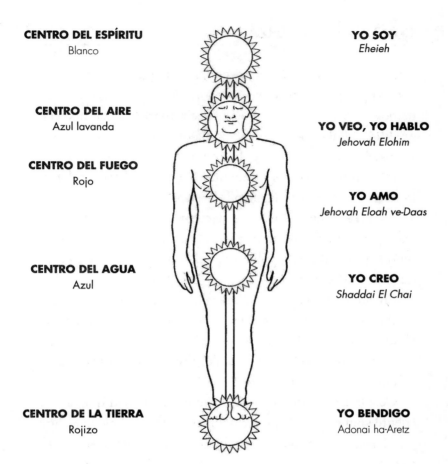

CENTRO DEL ESPÍRITU
Blanco

CENTRO DEL AIRE
Azul lavanda

CENTRO DEL FUEGO
Rojo

CENTRO DEL AGUA
Azul

CENTRO DE LA TIERRA
Rojizo

YO SOY
Eheieh

YO VEO, YO HABLO
Jehovah Elohim

YO AMO
Jehovah Eloah ve-Daas

YO CREO
Shaddai El Chai

YO BENDIGO
Adonai ha-Aretz

Y cuando la enfermedad se manifieste en el cuerpo, la actividad del centro apropiado debe considerarse como afectada en cierto modo de una manera sutil. Su estimulación por el sonido, el pensamiento y el color, tenderá a activar el correspondiente principio psíquico, y a dispersar por lo tanto el desajuste. Antes o después se producirá una reacción que propiciará la desaparición de la enfermedad, y la consecuente construcción de nuevas células y tejidos, esto es, la reaparición de la salud.

CIRCULAR LA FUERZA

Una vez que hayamos traído poder y energía espirituales al sistema por medio de los centros psicoespirituales, ¿cómo podemos sacarle mejor partido? Es decir, usarlos de tal manera que cada célula, cada átomo, y cada órgano sea estimulado y vitalizado por esa corriente dinámica.

Para empezar, enviemos de nuevo la mente hacia arriba, a la esfera coronaria, imaginándola en un estado de vigorosa actividad, es decir, girando rápidamente, absorbiendo la energía espiritual del espacio que la rodea, trasformándose de tal modo que resulte asequible para el uso inmediato en cualquier actividad humana.

Imaginad después que tal energía trasformada fluye, como un manantial, hacia abajo, por el lazo izquierdo de la cabeza, el lado izquierdo del tronco y la pierna izquierda. Mientras esta corriente está descendiendo, el aire debería ser expulsado lentamente en un ritmo adecuado.

Con la lenta inspiración del aliento, imaginad que la corriente vital pasa de la planta del pie izquierdo al pie derecho, y asciende gradualmente por el lado derecho del cuerpo. De este modo retorna a la fuente de la que surgió, el centro coronario, la fuente humana de toda energía y vitalidad, habiéndose establecido así un circuito eléctrico cerrado.

Esta circulación se visualiza dentro del cuerpo más que viajando alrededor de la periferia o del contorno físico. Es, por decirlo así, una circulación psíquica interior más que puramente física. Dejad que esta circulación, una vez establecida firmemente por la mente, fluya durante algunos segundos al ritmo de la respiración, de modo que el circuito sea el recorrido una media docena de veces o incluso más, si se desea.

Repetidlo después en una dirección ligeramente diferente. Visualizad el flujo vital moviéndose ahora desde el centro coronario de la cúspide de la cabeza, hacia abajo por delante de la cara y del cuerpo. Después de haber vuelto hacia atrás bajo las plantas de los pies, ascended por la espalda en un anillo bastante amplio de energía vibrante. Esto, igualmente, debería acompañarse de una respiración pausada y regular, y realizarse al menos hasta completar seis circuitos.

El efecto general de estos dos movimientos será el de establecer en la forma física y alrededor de ella un contorno ovoide (con forma de huevo) de energía y poder que circulará libremente. Puesto que la energía espiritual que manejamos con esta técnica es extremadamente dinámica y cinética, irradia en todas direcciones, extendiéndose hacia fuera hasta una distancia apreciable.

Es esa radiación la que forma, colorea, e informa la esfera ovoide que no coincide con la forma o dimensión del armazón físico. La percepción general y la experiencia sostienen que la esfera de luminosidad y magnetismo se extiende hacia fuera hasta una distancia más o menos idéntica a la longitud del brazo extendido. Y es dentro de esta aura, donde existe el hombre físico, como una almendra dentro de su cáscara.

Circular la fuerza en el sistema mediante los anteriores ejercicios mentales equivale a cargarlo en grado considerable de vida y energía en todos y cada uno de los departamentos de su naturaleza. Obviamente esto debe ejercer un efecto notable, en lo que se refiere a la salud en general de la «almendra» existente en su interior.

El método final de circulación se asemeja más bien a la acción de una fuente. Así como el agua es forzada o subida a través de una tubería hasta que sale en chorro hacia arriba y cae luego por todos lados, de la misma manera lo hace el poder dirigido por esta última circulación.

Enviad la mente hacia abajo, al centro de la Tierra, imaginando que es la culminación de todos los otros, el receptáculo de todo poder, el almacén y el terminal de la fuerza vital que nos llega.

Imaginad entonces que este poder asciende o es absorbido por la atracción magnética del centro del Espíritu por encima de la corona de la cabeza. El poder asciende por la banda hasta que se desborda violentamente y cae dentro de los confines del aura ovoide.

Cuando ha descendido a los pies es recogido y concentrado de nuevo en el centro de la Tierra, preparándose para ser enviado de nuevo hacia arriba por la banda.

Como antes, la circulación debe acompañar a un ritmo definido de inspiración y espiración. Por estos medios, la fuerza curativa es distribuida a todas y cada una de las partes del cuerpo. Ningún átomo o célula en órgano o miembro alguno queda fuera de la influencia de su poder sanador y regenerativo.

SANAR

Una vez completadas las circulaciones, puede permitirse que la mente se detenga tranquilamente en la idea de una esfera de luz, de cualidad espiritual, sanadora y vital, rodeando todo el cuerpo. Esta visualización debería hacerse del modo más vívido y poderoso posible.

La sensación que sigue a la formulación parcial o completa del aura en la manera descrita es tan marcada y definida que llega a ser inconfundible. Está señalada en primer lugar por una sensación de extremada calma, vitalidad y equilibrio, como si la mente estuviera plácida y tranquila.

El cuerpo, descansa en un estado de relajación, se siente en todas sus partes concienzudamente cargado y penetrado por la vibrante corriente de la vida. La piel producirá síntomas en todo el cuerpo, causados por la intensificación interior de la vida, síntomas de un suave hormigueo y un calor agradable. Los ojos se volverán más claros y brillantes, la piel adquirirá un fresco fulgor saludable, y toda facultad, mental, emocional y física, se incrementará hasta un grado considerable.

Éste es el momento en el que, en caso de haber algún desorden funcional, en algún órgano o miembro, la atención debería dirigirse y enfocarse hacia esa parte. El resultado de concentrar así la atención dirige un flujo de energía sobre el equilibrio general recién establecido. De esta forma, el órgano enfermo resulta así bañado en un mar de luz y de fuerza.

Los tejidos y las células enfermas, bajo el estímulo de tal fuerza, son gradualmente destruidos y rechazados de la esfera personal. La corriente sanguínea revitalizada es capaz entonces de enviar a ese punto nueva nutrición y nueva vida, de modo que puedan construirse fácilmente nuevos tejidos, fibras, células, etc. De este modo, la salud se recupera por la persistente concentración del poder divino en ese punto.

Continuando durante unos pocos días en el caso de aflicciones superficiales, y algunos meses en el caso de problemas crónicos y graves, todos los síntomas pueden eliminarse con éxito sin que otros vengan a ocupar su lugar.

> No se suprimen los síntomas;
> la eliminación de la enfermedad
> es el resultado de estos métodos.

Incluso con estas técnicas pueden llegar a erradicarse problemas mentales y emocionales, porque las corrientes de fuerza surgen desde el estrato más profundo del inconsciente, donde estas psiconeurosis tienen su origen y donde aprisionan la energía nerviosa, impidiendo la expresión espontánea y libre de la psique. El brotar de las fuerzas vitales a través del sistema disuelve las cristalizaciones y los tabiques que dividen los diversos estratos de la función psíquica.

Cuando el problema que debe atajarse es una enfermedad orgánica, el procedimiento a seguir difiere ligeramente. (El enfermo debería estar siempre bajo el cuidado de un médico). En este caso se requiere una corriente de fuerza considerablemente más vigorosa, para poder disolver la lesión y ser suficiente para poner en movimiento las actividades sistémicas y metabólicas que construyan nuevas estructuras de tejidos y células.

Para cumplir estos requisitos en un sentido ideal puede ser necesaria una segunda persona, de modo que su vitalidad, añadida a la del paciente, pueda superar la situación patológica. Una técnica sutil que en mi experiencia se ha revelado como sumamente exitosa y que cualquier estudiante puede adoptar, es relajar primeramente cada tejido a todo lo largo del cuerpo antes de intentar la técnica del Pilar Medio. El paciente se sitúa en un estado altamente relajado, en el que cada tensión neuromuscular ha sido comprobada y llevada a la atención del paciente. La conciencia es capaz entonces de eliminar la tensión e inducir un estado relajado en ese músculo o miembro.

A mí me ha resultado útil la práctica de la manipulación y del masaje de la columna, con profundos masajes y pases, pues de este modo se produce una circulación creciente de sangre y linfa, lo que desde el punto de vista fisiológico supone media batalla ganada.

Una vez conseguido un grado de relajación adecuado, los pies del paciente se cruzan por los tobillos, y sus dedos de las manos se entrelazan para descansar ligeramente por encima del plexo solar. El operador o sanador se sienta entonces al lado derecho de la persona si el paciente fuera diestro y al lado izquierdo si fuera zurdo. Poniendo su mano derecha suavemente en el plexo solar bajo las manos unidas del paciente, y su mano izquierda en la cabeza de éste, se establece rápidamente una forma de *contacto*. En pocos minutos se crea una libre circulación de magnetismo y vitalidad, fácilmente discernible tanto por el paciente como por el sanador.

La actitud del paciente debería ser de absoluta receptividad a la fuerza que le está llegando, y de una confianza y fe inamovibles en la integridad y habilidad del operador. El silencio y la calma deben mantenerse durante unos momentos después, el operador realiza en silencio la práctica del Pilar Medio, manteniendo todavía su contacto físico con el paciente.

Sus centros espirituales despiertos actúan sobre el paciente por simpatía.

Un despertar similar se introduce en la esfera del paciente, y sus centros finalmente empiezan a funcionar y a arrojar una equilibrada corriente de energía dentro de su sistema. Aunque el operador o sanador no vibre los nombres divinos de manera audible, el poder que fluye a través de sus dedos establece una actividad que con seguridad producirá algún grado de actividad sanadora dentro del paciente. Sus centros psico-espirituales son excitados simpáticamente a la asimilación y a la proyección activas de la fuerza de modo que, sin ningún esfuerzo consciente por su parte, su esfera se ve invadida por el poder divino de curación y de vida.

Cuando el operador llega al punto de la circulación, emplea su facultad interna de visualización, verdadero poder mágico, de forma que las corrientes de energía incrementadas fluyen no sólo a través de su propia esfera sino también a través de la de su paciente.

La naturaleza de este *contacto* empieza a sufrir ahora un cambio sutil. Mientras que anteriormente existía una estrecha simpatía, y una estructura armoniosa de la mente mantenida mutuamente, durante la circulación y después de ella se produce una verdadera unión y un entremezclarse de los dos campos de energía. Ambos se unen para formar una sola esfera continua, a medida que se da el intercambio y la trasferencia de energía vital.

De este modo, el operador, o su psique Inconsciente o Ser espiritual, es capaz de adivinar exactamente de qué potencial debe ser la corriente proyectada, y a dónde debe dirigirse precisamente.

Un cierto número de estos tratamientos, incorporando la cooperación y el entrenamiento del paciente en el uso de métodos mentales, debería ciertamente aliviar bastante la situación original. En ocasiones, se pueden combinar los métodos médicos y los manipulativos con los métodos mentales descritos, a fin de facilitar y acelerar la cura.

Aunque hasta ahora he resaltado la utilización de este método para curar dolencias físicas, debo insistir en que es adecuado para aplicarse a una gran cantidad de otros problemas diferentes. Esta descripción de la técnica resultará adecuada para todas las otras situaciones que puedan presentársele al estudiante –ya sea un problema de pobreza, desarrollo del carácter, dificultades sociales o maritales– y de hecho cualquier otro tipo de problema con el que uno pueda pensar…

Tal vez padecemos una enfermedad. O necesitamos dinero. O tenemos rasgos morales o mentales –o chismes– no deseados.

Con el empleo de esta energía podemos elevar nuestra mente para que el deseo de nuestro corazón se haga realidad de forma automática sin prácticamente ningún esfuerzo por nuestra parte.

Magia en pocas palabras

Éstas son las palabras de *El arte de la verdadera curación* de Israel Regardie que considero esenciales. Es uno de los libros más concisos sobre magia que se han escrito, y a la vez uno de los más poderosos. Hasta la versión reducida que hemos leído en este capítulo puede considerarse un curso completo de magia en sí mismo.

Además, resulta tan agradable hacer la Meditación del Pilar Medio, que he seguido practicándola durante años. Podéis hacerla tumbados boca arriba, completamente relajados. (*Nota:* cuando practico esta meditación me quedo dormido muy a menudo, tan a menudo que en mi familia se ha convertido en una broma cada vez que digo que me retiro a meditar. «Sí, claro», me dicen, y a continuación emulan el sonido de fuertes ronquidos. Es cierto que a veces ronco cuando hago esta meditación, pero otras veces experimento maravillosos viajes poderosos de la imaginación, viajes que han cambiado el rumbo de mi vida).

La Meditación del Pilar Medio se puede adaptar de infinitas maneras creativas. Descubrirás que, de forma natural, simplemente disfrutas del proceso —después de todo, ser vago es una gran excusa— y este mismo disfrute formará parte de la fuerza poderosa de la creación que desata la meditación.

Pasa un tiempo disfrutando de tu visualización, sea la que sea, hasta que sientas profunda y exactamente cómo te sientes a nivel emocional haciendo, siendo y teniendo lo que quieres en tu vida.

> Si lo que quieres es una alineación con tu bien de orden superior
> —tu ser espiritual—, si tienes una idea clara de lo que quieres crear,
> y si lo visualizas lo bastante a menudo, pronto se manifestará
> para ti en la realidad física.

Termina la meditación de la manera que sientas cómoda y adecuada para ti: puedes dejar que tu visualización flote en el espacio y que el universo se ocupe de los detalles; puedes recitar una oración; puedes imaginar todo el planeta bañado en la luz sanadora de tu meditación radiante; puedes meditar tranquilamente, bañado en la luz de tu resplandor interior, observando las ideas que surjan y dejando que se vayan; puedes pedir consejos para tu vida y escuchar las respuestas de las fuentes profundas de sabiduría de tu interior; o simplemente puedes sentarte, tumbarte boca arriba y permanecer en un silencio sanador maravilloso.

Termina con una inspiración profunda, abre los ojos y regresa a la realidad, sintiéndote relajado, refrescado y en paz y armonía contigo y con tu mundo.

Que así sea. Así es.

La oración de protección, círculos mágicos y pirámides

Sólo hay dos maneras de vivir la vida:
una es pensar que nada es un milagro,
y la otra es pensar que todo es un milagro.
Yo escojo la segunda.

ALBERT EINSTEIN

Toda la vida es un milagro, porque la misma fuerza de la vida es un milagro. Tu cuerpo es un milagro. Tu mente es ilimitada. Hay más conexiones en un milímetro cuadrado de tu cerebro que estrellas en la Vía Láctea. Esto quiere decir que todos tenemos la capacidad de ser infinitamente creativos. Significa que cada uno de nosotros es un mago, si elegimos observarlo de este modo.

La oración de protección

Una de las mejores herramientas de nuestro juego de herramientas de mago es la Oración de Protección. El hecho de repetir estas palabras o similares es un acto poderoso. Mientras pronunciamos esta oración, podemos concentrarnos en nosotros mismos o envolver a otros en la luz de nuestra oración. Podemos hacerlo para nuestra familia o para el mundo entero.

Esta oración contempla muchas variantes distintas. En algunas de éstas no figuran palabras como *fluye a través de mí y me cura*. Como siempre, te recomiendo que halles las palabras que mejor se adecuen a ti.

Siéntate o túmbate de manera que te sientas cómodo, o permanece de pie, sin moverte.
Haz una inspiración profunda y relajante y, al espirar, deja ir todos tus pensamientos…
Siente tu Presencia… es la energía vital de tu interior…
Recita la oración en silencio, en voz baja o proclámala en voz alta para todo el mundo:

La luz de Dios me rodea,
el amor de Dios me envuelve,
el poder de Dios fluye a través de mí,
me cura y me protege.
Esté donde esté, Dios está conmigo
y todo va bien.

La luz de Dios nos rodea,
el amor de Dios nos envuelve,
el poder de Dios fluye a través de nosotros,
nos cura y nos protege.
Estemos donde estemos, Dios está con nosotros,
y todo va bien.

Dios está presente en todas partes, por lo que, dondequiera que estés, Dios está contigo. Y donde está Dios, todo va bien.

Otra manera de expresarlo: la fuerza de la vida está presente en todas partes. Y donde está la fuerza de la vida, todo va bien.

Son palabras poderosas que, si es necesario, merece la pena repetir muchas veces al día. Cuando los brasileños se conocen y se saludan, las primeras palabras que acostumbran a decirse son: «¿Tudo bem?» «Tudo bem». *¿Va todo bien? Todo va bien.*

Que así sea. Así es.

El círculo mágico

Muchas tradiciones mágicas emplean la creación y el uso de un círculo mágico. Se puede crear de muchas maneras, pero recomiendo que cada uno encuentre la que más le convenga. Algunas implican solamente visualizaciones sencillas y momentáneas; otra la visualización de imágenes más elaboradas o incluso la creación física de un círculo en el suelo.

La esencia del círculo mágico se basa simplemente en imaginar, ya sea de pie, sentados o tumbados, que nuestro cuerpo está rodeado por un círculo. Dentro de ese círculo está el mundo entero, el universo entero.

Como es arriba, es abajo.

Una parte diminuta del todo es un microcosmos que refleja la totalidad del macrocosmos.

Con el poder de tu imaginación puedes crear, rápidamente y en cualquier momento, un círculo mágico a tu alrededor. Puedes hacerlo instantáneamente o puedes caminar alrededor del interior de un círculo y definirlo con claridad en tu mente.

Las opciones respecto a lo que puedes hacer dentro de un círculo son tan ilimitadas como tú. Puedes utilizarlo para las oraciones de protección y para eliminar las adherencias, o para atraer o evocar cualquier energía que quieras o que necesites.

También puedes hacer todas las meditaciones que hemos realizado a lo largo del curso en el interior de tu círculo, o puedes utilizarlo para que te ayude a crear la vida de tus sueños.

Estar en un círculo mágico puede desatar poderosas energías creativas, e incluso llegar a desencadenar energías destructivas si uno es lo bastante ignorante como para ir por ese camino. Llegados a este punto y antes de centrarnos en una práctica específica, hablaré un poco sobre la magia blanca y la magia negra. Éste será el único momento del curso en el que nos detendremos a mencionar la magia negra.

Los rituales de magia se pueden emplear para fines positivos o para fines negativos. Obviamente, cualquiera que los use para fines negativos, para hacer daño a otra persona, está cometiendo una estupidez y utilizando mal el poder de la magia, porque al final sólo termina haciéndose daño a sí mismo. Todo aquel que se dedica a la magia negra no comprende la inexorable ley del karma. Cualquier acción que haga, le será devuelta. Cualquiera que intente hacer daño a otra persona terminará haciéndose daño a sí mismo.

Cuando me introduje en la práctica de los círculos mágicos me dieron un consejo bastante valioso. La magia funciona en lo que a veces recibe el nombre de plano astral, una expresión que describe el plano de la imaginación, el plano de la emoción, el pensamiento y el espíritu, que trasciende el plano físico.

El plano astral tiene dos aspectos: el superior y el inferior. Toda nuestra labor, toda nuestra atención, debería recaer siempre en el plano astral superior, porque está colmado con la luz de la compasión, la fortaleza expansiva y la sabiduría. El plano astral inferior contiene la oscuridad de la ira, la avaricia y la ignorancia, y deberíamos evitarlo por completo. No recomiendo a nadie que vaya allí, pues sólo se hará daño a sí mismo.

La mente hace su propio lugar, y por sí sola
puede hacer un cielo del infierno y un infierno del cielo.

JOHN MILTON

Aquello a lo que dirigimos nuestra atención se convierte en la realidad que creamos. Podemos elegir entre crear un cielo o un infierno en nuestra vida, aquí y ahora. La decisión es nuestra.

Existe una forma sencilla con la que podemos evitarnos problemas cuando trabajamos con magia, algo que ya hemos visto varias veces en este libro: afirmar una y otra vez que todo lo hacemos por el mayor beneficio de todos. No debemos elegir nunca hacer daño a nadie ni a nada. Debemos terminar nuestras sesiones así:

Esto, o algo mejor,
se está manifestando,
de una forma completamente satisfactoria y armoniosa,
para el mayor beneficio de todos.
Que así sea. Así es.

Ahora estamos preparados para crear nuestro círculo mágico, a sabiendas de que sólo será sumamente beneficioso para todos y jamás para perjudicar a nadie.

CREAR UN CÍRCULO MÁGICO

Puedes ponerte de pie, sentarte en posición cómoda o tumbarte boca arriba.

Cierra los ojos, haz una inspiración profunda y sanadora y relaja el cuerpo…

Haz otra inspiración profunda y sanadora, relaja la mente y deja que se vayan todos tus pensamientos…

Haz otra inspiración profunda y limpiadora y deja que se vaya todo…

Relájate un rato en la quietud y el milagro de la existencia…

Abre los ojos e imagina con nitidez el perímetro de un círculo a tu alrededor…

Imagina que estás en el centro del círculo…

Si lo deseas, y si puedes, camina alrededor del perímetro del círculo varias veces, en sentido horario, para definir con claridad el tamaño y la ubicación del círculo...

No es necesario caminar de verdad alrededor del círculo; puedes hacerlo mentalmente, centrando tu atención en el contorno de la circunferencia, en el sentido de las agujas del reloj...

Hazlo varias veces, hasta que te sientas contenido en un círculo de luz, un pilar luminoso de energía...

Cierra los ojos y pon toda tu atención en el interior de este círculo luminoso...

Dentro de este círculo hay un microcosmos que refleja el macrocosmos de todo lo que existe...

Dentro de ese círculo está el mundo entero, el universo entero...

Los pensamientos que tengas y las cosas que hagas aquí, en el centro de este círculo, afectarán el universo entero...

Es recomendable empezar por la Oración de Protección, si lo deseas...

Puedes atraer o reunir cualquier energía que quieras o que necesites...

Puedes eliminar las adherencias que estén limitando tus sueños en algún aspecto...

Haz cualquiera de las meditaciones que hemos hecho en este libro, y sus efectos se amplificarán mediante el poder dirigido de un círculo...

Si puedes imaginarlo con bastante nitidez,
puede hacerse realidad
de forma sencilla, apacible, saludable y positiva...
Imagina con claridad la vida de tus sueños...

EVOCAR

Con el poder de tu imaginación, puedes evocar la presencia o el espíritu de cualquier persona, animal o divinidad que desees...

He aquí algunas posibilidades; elige la que sea más adecuada para ti.

Imagina que Jesús está enfrente de ti...

Tiene los brazos abiertos y está colmado de un amor radiante que te sumerge en oleadas de energía sanadora...

Estás evocando el espíritu de Jesús, y no es más que amor, amor y amor...

Habla con él, si lo deseas...

Pídele lo que quieras.

Pide y recibirás.

Imagina que María está frente a ti extendiéndote los brazos...

Su corazón alberga compasión y amor para todos...

Su paz radiante te protege, te cura y llena tu interior de paz radiante...

Imagina a alguien de cualquier tradición que te venga a la mente y al corazón...

Imagina que Buda está sentado delante de ti...

Irradia la luz de la gran sabiduría que deviene cuando uno comprende la naturaleza de la realidad...

Irradia paz, gracia y luminosidad...

Él *es* luz, y tú también...

Siente la energía radiante de quien está despierto...

También es tu energía...

Es pura luz...

Imagina que Buda convierte en azul un cielo oscuro y se trasforma en el Buda Sanador…

Báñate en el océano de la energía resplandeciente y sanadora del universo…

Imagina que tu Guía Interior se acerca a ti…

Ella o él se aproxima a ti desde lo lejos, luego se acerca y te llena de luz radiante…

Habla con él; tiene exactamente el consejo adecuado para ti en este momento…

Imagina un maestro al que hayas conocido…

Podría ser un maestro espiritual o cualquier persona que te gustaría ser…

Con el simple hecho de recordarla, estás evocando su energía, te estás bañando en su Presencia…

En algunas tradiciones orientales se llama *darshan*, y representa la enseñanza silenciosa de estar en presencia de alguien ilustrado…

Deja que tu maestro interior te oriente…

La mejor orientación es la que recibimos desde el interior.

Deja que tu creatividad espontánea tome el mando a partir de aquí…

Evoca el espíritu de cualquier persona que desees…

Imagina que está frente a ti…

Reprodúcela en tu mente…

Y estarás en su Presencia…

Siempre es para el mayor beneficio de todos…

Y lo único que necesitamos para asegurarnos de ello es seguir repitiendo estas palabras:

Esto es para el mayor beneficio de todos.
Que así sea. Así es.

Recordar

Constantemente estamos realizando una clase de evocación: lo llamamos recordar. El hecho de recordar a alguien a quien amamos tiene un efecto determinado sobre nosotros, mientras que si recordamos a alguien con quien tenemos cierto problema, tiene un efecto distinto.

Recordar es una práctica maravillosa, sencilla y poderosa cuando se hace de forma más consciente que inconsciente. ¿Qué maestros has tenido, qué personas has conocido, que tengan una energía que surge del hecho de estar en un nivel superior de conciencia? Al recordar a estas personas, puedes atraer su Presencia y alcanzar un nivel superior de conciencia tú también.

Nunca olvidaré a Katsuki Sekida, mi maestro zen. Cada vez que pienso en él se me dibuja una sonrisa; recuerdo la gracia, la facilidad y la ligereza de su presencia, y me relajo y disfruto del momento. Su presencia se une a la mía y me vuelvo mucho más liviano.

(Sigo estudiando su obra, *Two Zen Classics*, con su análisis sobre los *koan*, las breves historias de enseñanza de varios maestros zen a lo largo de los años. El *koan* sobre el que llevo reflexionando muchos meses es el siguiente: El maestro pregunta: *¿Cómo puedes liberarte de la vida y la muerte? El comentario de Katsuki Sekida es: ¿Cómo puedes liberarte de la vida y la muerte? No preocupándote por ello*).

En la última década, también he evocado, de manera informal, el espíritu de Eckhart Tolle. Es exactamente como cuando pienso en mi maestro zen: cuando recuerdo la picardía, la comprensión y el amor que emana de su rostro, se me dibuja una sonrisa en la cara y me relajo y disfruto del momento.

Algunas veces me viene a la cabeza una cita suya:

> No oponer resistencia a la vida
> es estar en un estado de gracia, facilidad
> y ligereza.
>
> ECKHART TOLLE, *El poder del ahora*

El simple hecho de repetir estas palabras puede evocar gracia, facilidad y ligereza en nuestra vida.

Es mucho mejor que pasemos menos tiempo evocando a las personas con las que discutimos o reñimos y que dediquemos más tiempo a evocar a las personas que nos aportan gracia, facilidad y ligereza.

¿Quién logra dibujar una sonrisa en tu rostro? No dejes de reproducir a esa persona en tu mente y conseguirás sonreír mucho más. ¿Quién toca tu corazón? ¿Quién te hace mejor persona? ¿Quién tiene lo que tú quieres tener?

Evoca a esas personas; recuérdalas. Abre tu mente y tu corazón a aquellas personas que pueden llevarte a lugares más expansivos. Ya lo hacemos de manera natural; hagámoslo con más conciencia, eligiendo lo mejor para concentrarnos en ello y despojándonos de lo demás.

Ésta es una herramienta poderosa para la evolución consciente.

Eliminar las adherencias

Cuando interaccionamos con otras personas, y cuando las evocamos de alguna manera, establecemos un vínculo sutil pero algunas veces poderoso con ellas. Si esa persona es un amigo, un amante o un maestro que nos llega a lo más hondo, estos vínculos son maravillosamente terapéuticos. Ésta es la clase de vínculos que conviene cultivar.

Pero si se trata de una persona con la que estamos atravesando un período difícil, o alguien cuya presencia nos impide perseguir o cumplir nuestros sueños, estos vínculos pueden degenerar en adherencias que no nos aportan ningún beneficio.

Existe un sencillo ritual para eliminar las adherencias:

Camina formando un círculo, definiéndolo claramente en tu mente…

Colócate en el centro del círculo mirando hacia el norte.

Levanta los brazos todo lo que puedas, extendidos por encima de la cabeza, de modo que los dedos de las manos señalen hacia el cielo…

Luego gira las manos de manera que las palmas miren hacia ti, y baja los brazos por delante de tu cuerpo, como si estuvieras cortando algo con los brazos. (Tu brazo derecho se mueve en sentido antihorario, mientras que tu brazo izquierdo se mueve en sentido horario).

Hazlo tan rápido o lento como desees…

Imagina que eliminas todas las adherencias que, de algún modo, te atan, restringen o inhiben…

Te estás liberando de todas las influencias restrictivas o negativas de los demás, y evocando tu propia luz, tu propio poder…

Barre las adherencias tres veces mirando hacia el norte; luego tres veces mirando hacia el este, tres veces hacia el sur y tres veces hacia el oeste…

Gira en cualquier dirección y deja que tu conciencia flote a la deriva hacia arriba…

Siente la corona de la cabeza…

Siente el pilar de luz que desciende a través de ti cuando lo evocas en tu mente…

Eres un pilar de luz…

Estás lleno de luz, vida y amor…

Eres amor… Llénate de amor…

Termina con la Oración de Protección, si quieres… o simplemente termina sintiendo ese océano de amor y luz de tu interior…

Hay momentos para conectar con otros, y momentos para estar a solas en nuestro círculo, influidos únicamente por la energía vital del universo…

Crear un mandala

Mandala es un término sánscrito que significa 'círculo'. En las tradiciones hindúes y budistas, gran parte del arte sagrado se representa con los mandalas. La forma básica de la mayoría de mandalas hindúes y budistas es un cuadrado con cuatro puertas, una en cada lado, y con un círculo y un punto central en el interior. A partir de esa forma básica han evolucionado muchas otras formas de mandalas.

Igual que con el círculo mágico, sea cual sea el mandala que elijas y lo que decidas que haya en él, todo ello representa e incluso contiene el mundo entero, el universo entero. Puedes crear un mandala a partir de cualquier cosa que desees. Puede ser un altar, pueden ser objetos y diseños que tengas sobre un estante o una pequeña mesa, puede ser un solo objeto, un diseño en el suelo…

Existen infinidad de hermosas obras de arte, tanto tradicionales como modernas, que son mandalas. Los mandalas tradicionales del Tíbet suelen tener una pirámide en el centro: el monte Meru, el centro del universo.

El hecho de crear un mandala es una práctica poderosa, muy parecida a la creación de un círculo mágico. Los pensamientos, las oraciones y las afirmaciones que proyectamos en un mandala o que repetimos en su interior se amplifican de algún modo misterioso.

No tienes por qué creerlo; lo único que debes hacer es encontrar o crear tu propio mandala, brindarle un poco de tu atención y energía y verás qué ocurre.

Lo mismo vale para cualquier ritual o ejercicio de este libro. Como he dicho antes y volveré a decir otra vez, no es necesario dar ningún voto de confianza para aceptar que estas cosas pueden tener un efecto en nuestra vida. Tan sólo prueba algunas de ellas y pronto empezarás a ver algunos resultados, algunos cambios importantes en tu vida y tu mundo.

La pirámide de la conciencia humana

Una buena idea es tener una pirámide en algún lugar, ya sea en nuestro mandala o en nuestro altar. Visualizar o imaginar una pirámide es otra forma poderosa de meditación activa.

Encontramos pirámides en las tradiciones mágicas de todo el mundo, que representan una variedad de cosas distintas, entre ellas el centro del universo y el poder del espíritu que se manifiesta en el plano físico desde un perfecto punto diminuto en lo alto de una base de tamaño considerable. También pueden representar los distintos niveles de conciencia del ser humano.

La pirámide de la conciencia humana puede considerarse desde muchas perspectivas distintas, aunque especialmente dos de ellas me han resultado muy valiosas a lo largo de los años: la versión oriental y la versión occidental, si se quiere.

Algunos mandalas de las tradiciones orientales tienen una pirámide en el centro que representa el centro del universo y también la pirámide de la conciencia humana, que son todos los niveles de la humanidad, desde los que están en lo más bajo, cuya vida se basa en el temor, la ira y la violencia, hasta los que están en lo más alto y han descubierto la luz duradera de su vida, la paz interior y la ilustración.

Un *thanka* tibetano normal –una pintura, normalmente sobre seda– tiene la pirámide del monte Meru en el centro y, cuando se observa de cerca, tiene docenas de rayas horizontales de colores que llegan hasta arriba, cada una de ellas con una etiqueta distinta. La raya de la parte inferior es de color rojo oscuro. Mi maestro tibetano la señaló y simplemente dijo que representaba a los «asesinos».

El hecho de cometer un asesinato hace que uno descienda hasta el nivel inferior de conciencia humana. Los niveles que hay por encima corresponden a los siete centros energéticos o chakras del cuerpo humano, que también son niveles de conciencia: los de la parte baja están dominados por el miedo, la ira, la agresividad, la avaricia, la frustración, el sufrimiento e incontables deseos insatisfechos.

Para ascender por la pirámide de la conciencia debemos despertar las energías superiores de nuestro cuerpo, es decir, las energías del amor y la compasión del corazón, la expresión creativa de la garganta, la visión interior de la mente y, sobre todo, la sabiduría de la comprensión definitiva.

La esencia de este proceso está resumida de forma concisa en *Un curso de milagros*: básicamente, hay dos estados de conciencia, dos emociones, en el origen de todos nuestros comportamientos: el amor y el miedo. Cuando estamos dominados por el miedo, nos hallamos atrapados en los niveles inferiores de la conciencia humana. Sólo el amor puede vencer nuestros miedos, porque el amor hace que ascendamos a niveles superiores de conciencia que culminan en la realización y la satisfacción personal.

UNA MEDITACIÓN PIRAMIDAL

Siéntate (o túmbate boca arriba) en una posición cómoda…
Haz una inspiración profunda y relajante y, al espirar, deja que se vayan todos tus pensamientos…
Siente tu Presencia…
Nota la energía vital de tu interior…

Imagina que tu cuerpo es una pirámide…

Si estás sentado, imagina que te envuelve una brillante pirámide dorada cuyo pico está situado sobre tu cabeza…

Si estás tumbado, imagina que tu cuerpo forma parte de la base de una gran pirámide de luz…

La cima de la pirámide se alza por encima de ti; el pico de la pirámide está sobre ti…

Si estás tumbado, el centro de la pirámide es tu corazón…

Imagina que de la cima de la pirámide emana una luz radiante…

Te llena la corona de la cabeza, el tercer ojo, la garganta y el corazón de luz, vida y amor…

Despierta los centros superiores de tu cuerpo…

Es la mayor sabiduría de todas…

La luz cae como la lluvia sobre la pirámide, bajando por tu cuerpo y a través de él…

Te llena el estómago, los órganos sexuales, todo hasta los pies…

Imagina que la base de la pirámide conecta con la tierra, está profundamente arraigada a la tierra, forma parte de la tierra…

Es un centro maravilloso y poderoso de energía y conciencia.

En este centro, somos plenamente concientes de nuestras raíces en la tierra…

Estamos compuestos de tierra sólida, somos creaciones milagrosas…

Respira hondo durante un rato, llevando el aire al centro energético del chakra de la raíz, tu arraigo más profundo con la tierra…

Llénalo de luz sanadora…

Imagina que tu energía asciende por la pirámide, y te llena el segundo chakra, el centro sexual, de una radiante luz sanadora…

El centro sexual, la fuente de las poderosas energías creativas...
Llena este centro de luz sanadora...
Deja que tus miedos se disipen en esta luz...
Respira hondo durante un rato, llevando el aire a la creatividad infinita y expansiva de tu segundo chakra...

Ahora siente cómo tu energía asciende por el abdomen, el *hara*, tu tercer chakra...
Es tu centro de poder...
Inspira luz sanadora hacia este centro energético...
Todo va bien...
Descansa en este centro durante un rato...
Siente cómo se relaja y se cura...
Siente cómo se llena de una poderosa energía creativa...
La energía de la vida...
Respira hondo durante un rato, llevando el aire a la energía infinita y expansiva de tu tercer chakra...

Ahora nota cómo esa energía luminosa alcanza tu corazón...
Deja que todo se ilumine y expanda...
Inspira hondo, llenando el pecho de oxígeno sanador...
Siente cómo tu corazón se expande...
El amor es la respuesta, el amor es el final del camino...
El amor es la sabiduría definitiva, porque despierta todos los centros energéticos superiores y nos lleva a los niveles superiores de conciencia...

El amor es la respuesta, el amor es la clave.
Puede abrir cualquier puerta, darnos ojos para ver.
En nuestro corazón reside un secreto liberador;
lo único que necesitamos es amor.

Respira hondo durante un rato, llevando el aire a la energía infinita y expansiva de tu corazón, el cuarto chakra…

Ahora siente cómo esa energía afectuosa asciende a la garganta…
Siente cómo se te cura la garganta con cada respiración…
Siente cómo la radiante energía vital de tu garganta despierta tu voz…
Eres un genio creativo único, y tienes mucho que decir al mundo…
Respira hondo durante un rato, llevando el aire a la energía infinita y expansiva de tu quinto chakra…

Ahora siente cómo la radiante energía asciende al tercer ojo, justo entre los ojos, ligeramente por encima de ellos…
Observa los infinitos campos de luz que hay en tu interior…
Siéntate durante un instante y observa y siente el océano de paz interior…

Ahora llévate la energía luminosa a la corona de la cabeza…
Siente cómo vibra y se expande hacia las infinitas esferas radiantes de los niveles superiores de conciencia…

Tú eres Eso.
Eres uno con todo lo que existe.

Ésa es tu verdadera naturaleza. Eres un ser de luz, vida y amor, una parte eterna de una brillante creación eterna de las fuerzas de la vida.

Somos la creación de las fuerzas de la vida,

una mezcla eterna de éxtasis y conflictos,

que vivirá siempre que el universo permanezca,

lo que significa para siempre, a través de los días y las noches de

nuestra galaxia.

Desde el Big Bang

hasta la destrucción del agujero negro,

sólo trascurre un día de vida de nuestra construcción cósmica.

Viviremos para siempre, somos el material de las estrellas,

siempre crecientes, siempre cambiantes,

nacidos en esta vida, nacidos en aquella,

cambiando esta forma por la siguiente,

una parte eterna de una creación eterna,

¡una pieza por excelencia de la revelación divina!

La pirámide de Maslow

En Occidente, también desde la antigüedad, se ha tenido conocimiento del poder de visualizar pirámides y, de la misma manera que en Oriente, existen muchas versiones distintas, si bien yo suelo reflexionar solamente sobre dos de éstas: la pirámide de Maslow y la pirámide de crecimiento, expansión y riqueza. Cada una de ellas es una fuente excelente de sabiduría, la clase de sabiduría que puede guiarnos varias veces a lo largo del día y que nos ayuda a tomar decisiones que están totalmente alineadas con nuestro mayor interés.

Abraham Maslow fue uno de los fundadores de la psicología humanista. Por lo que más se le conoce es por su concepto de la jerarquía de las necesidades del ser humano, las cuales aprendí en un curso universitario y posteriormente adapté (por lo general de forma subconsciente) a mis propias necesidades. Es una herramienta útil que nos ayuda a comprender un mundo complejo.

La jerarquía original de las necesidades humanas de Maslow se representa con una pirámide en la que las necesidades biológicas y fisiológicas —las necesidades básicas de supervivencia, como aire, alimentos y refugio— se hallan en la parte inferior. Por encima de éstas, están las necesidades relativas a la seguridad: la protección y el amparo. En el siguiente nivel están las necesidades de afiliación y estima: la familia, el afecto, las relaciones, los grupos de trabajo. En un nivel superior están las necesidades de reconocimiento: el éxito, el prestigio, la responsabilidad. Por último, en la cima de la pirámide está el nivel de la conciencia que él llamaba, de forma bastante sorprendente, el de la autorrealización: el crecimiento y la realización personal.

(Gracias, Wikipedia, por recordarme el concepto original de Maslow; con los años lo he ido cambiando de forma gradual, expresándolo con mis propias palabras, simplificándolo. Puedes adaptarlo de cualquier manera que desees).

Nuestro trayecto por la vida empieza con la satisfacción de las necesidades más básicas, las de alimento y refugio; más adelante, vamos desarrollando necesidades de niveles cada vez más superiores. A lo largo del camino, vivimos lo que Maslow denominó *experiencias cumbre*, momentos en los que atisbamos la maravilla inherente a la existencia, hasta que finalmente somos capaces de satisfacer nuestro mayor potencial y sentirnos *realizados*.

¿Por qué incluyo todo esto en un libro de magia moderna y práctica? Porque he adaptado el concepto de tal manera que me ha ayudado no sólo a alcanzar el éxito como persona, sino también a comprender con más claridad los problemas que aquejan al mundo, y así poder ayudar a los demás a ascender por la pirámide y contribuir a crear un mundo mejor.

Las personas que están en la parte inferior de la pirámide necesitan alimentos y refugio, aire y agua limpia. Si no cubrimos estas necesidades, el deseo de satisfacerlas domina nuestra conciencia. En cuanto las tenemos cubiertas, podemos ascender en la pirámide y alcanzar el nivel de la seguridad. Una vez están cubiertas estas necesidades, ascendemos al nivel en el que puede que sea necesario un proceso físico de curación o una terapia para poder continuar hacia lo alto de la pirámide.

A medida que satisfacemos estas necesidades, ascendemos al reino de la educación. En este nivel expansivo y emocionante de la conciencia, podemos aprender lo que necesitamos en la vida para ascender todavía más en la pirámide, hasta la cima y las experiencias cumbre de autorrealización y satisfacción personal.

A medida que ascendemos en la pirámide, descubrimos que queremos, de manera natural, ayudar a los demás a que asciendan con nosotros. Podemos hacer mucho, tanto de forma individual como en grupos variados. Y hay muchas cosas que es necesario hacer: ésa es la gran labor que nos espera.

Todos los gobiernos deberían dar alimentos, refugio, protección y educación a sus habitantes, pues se trata de los propósitos principales más evidentes de un gobierno. Sin embargo, la mayoría de gobiernos no cubre estas necesidades, de modo que está en manos de todos nosotros hacer algo para ayudarnos mutuamente. En la mayoría de países, se necesita un conjunto creativo de asociaciones de personas, organizaciones sin ánimo de lucro, empresas y gobiernos para satisfacer las necesidades básicas de las personas.

Hay algo que podemos hacer para contribuir a que el mundo sea un lugar mejor en el que vivir. Todos nosotros disponemos de infinidad de posibilidades. Es probable que ya estés haciendo algo, porque si estás leyendo esto, obviamente estás en los niveles superiores de la conciencia humana, entre el nivel de la educación y el de la autorrealización.

Reflexiona sobre esto:
Nuestras necesidades básicas simplemente están para que las satisfagamos y podamos centrarnos en alcanzar lo que es importante en la vida.
¿Y qué es importante?
Eso es decisión de cada uno…
Reflexiona sobre esto durante un instante…

Ello implica recordar y atesorar esas experiencias cumbre que todos hemos vivido…
Todos hemos tenido destellos de iluminación…

La oportunidad del ser humano, nos dice la religión, es trasformar nuestros destellos de conocimiento en una luz duradera.

HUSTON SMITH

Que así sea. ¡Así es!

La pirámide de crecimiento, expansión y riqueza

Otra cosa poderosa que podemos imaginar es que en nuestro interior se halla una pirámide de crecimiento, expansión y riqueza. Los asesores financieros de todo el mundo abusan de esta imagen; puede ser muy útil reflexionar sobre ella de vez en cuando.

Con los años he imaginado, y a veces descrito, esta clase de pirámide con distintas formas. Voy a proponer una de ellas, aunque sólo es una sugerencia. Igual que con los demás materiales de este curso, estúdiala y cámbiala de cualquier manera que te convenga.

Inspira hondo y relájate…
Imagina que en el interior de tu mente expansiva se halla una pirámide inmensa que simboliza y contiene tu salud, tus activos y propiedades…
Pide o reza para aprender a manejar tu pirámide de la salud de manera hábil, para que siempre crezca…
Como dice la famosa oración de Jabez en la Biblia, reza para agrandar tu territorio, y nunca hieras a nadie durante el proceso…

La base de tu pirámide está compuesta de tus activos sólidos: tu dinero en efectivo, tu cartera de inversiones, tus bienes inmuebles y cualquier plan de pensiones que tengas…
Éstos son los bloques sólidos que componen la base de tu riqueza…
Imagina que los has invertido de tal modo que proporcionan unos ingresos pasivos que continuamente se añaden a la base de la pirámide, que no deja de crecer y crecer…

Por encima de estos bloques hay otros que contienen otros activos, como cuadros, joyas, oro, instrumentos de música, artículos coleccionables…

Y sobre éstos hay más dinero líquido que tienes para tus gastos, donaciones, inversiones…

Imagina que tus reservas líquidas de dinero también crecen a un ritmo constante, expandiendo el cuerpo de la pirámide…

¿Qué hay en la cima? Imagina una cascada de riqueza y abundancia en todas sus variantes…

Que continuamente fortalece la pirámide que tiene debajo…

Y riega a las demás pirámides del mundo con tu generosidad y apoyo…

Imagina que en tu interior contienes una pirámide de crecimiento, expansión y riqueza que aumenta constantemente…

Halla la imagen que sea más adecuada para ti. Esta clase de visualizaciones proporcionan instrucciones poderosas para nuestro ilimitado subconsciente.

Tú
eres un genio creativo
único, capaz
de hacer realidad tus sueños más
expansivos y de satisfacer tu verdadero propósito,
ascendiendo, y ayudando a los demás a ascender por la pirámide
de la conciencia humana para la autorrealización
y la satisfacción personal.

Que así sea. ¡Así es!

6

El tiempo, el dinero y el método para cambiar las creencias más arraigadas

La mente es el principal poder que moldea y crea.
El hombre es inteligente y siempre que tome
la herramienta del pensamiento y le dé forma a lo que desea,
produce mucha alegría o mucha infelicidad.
Lo que el hombre piensa en secreto, eso sucede.
Su medio ambiente o entorno no es más que su espejo.

JAMES ALLEN, *Como un hombre piensa, así es su vida*

En el capítulo 2 hemos visto esta cita de James Allen, pero merece la pena volverla a leer y reflexionar sobre ella. A veces tal vez se nos ocurra de forma espontánea, en el momento más oportuno.

La raíz de un problema

Este capítulo nos lleva a la raíz de los problemas y los obstáculos que hallamos en nuestro sendero mágico, en nuestra búsqueda para crear algo a partir de la nada. Podemos seguir todos los rituales mágicos, las oraciones, las afirmaciones y visualizaciones del mundo, pero si no modificamos las creencias que tal vez tenemos acerca de nuestra incapacidad –por ningún motivo en concreto– de crear lo que deseamos, entonces esas creencias limitativas socavarán nuestros sueños, planes y acciones.

Dicho de manera simple:

> Ninguna labor mágica que hagamos será efectiva
> si en el fondo creemos que somos incapaces
> de hacer realidad nuestros sueños.

Todo deriva de nuestras creencias subyacentes. Sin lugar a dudas, tomar en consideración esas creencias será una buena forma de invertir nuestro tiempo. Si no estamos creando lo que queremos en la vida, tenemos que advertir las creencias que albergamos y que nos limitan e impiden cumplir nuestros sueños. Tomar conciencia de nuestras creencias es el primer paso para cambiarlas. Y, cuando cambiemos nuestras creencias, cambiaremos nuestra vida y nuestro mundo.

La mayoría de nosotros, cuando lo pensamos, tenemos un amplio conjunto de creencias subyacentes, muchas de las cuales se contradicen e incluso están en conflicto las unas con las otras. Sabemos que tenemos fortalezas, talentos, algo único que ofrecer al mundo. Todos tenemos sueños, deseos y pasiones. Sin embargo, la mayoría de nosotros también creemos que es muy difícil alcanzar el éxito –por eso, después de todo, muy pocas personas lo alcanzan–, que la vida no es fácil, sino dura y difícil, que es una lucha llegar a fin de mes. ¡Y que es estresante!

Cuando tenía cerca de treinta años, aprendí algo sobre nuestras creencias de un hombre llamado Ken Keyes Junior que ha trasformado radicalmente mi vida:

> Nuestras creencias no son verdaderas en sí mismas,
> sino que se vuelven verdaderas en nuestra experiencia
> cuando creemos en ellas.

Pensamos que es al contrario, ¿no es cierto? Creemos lo que creemos porque así es como es. Pero resulta que eso no es cierto. Creemos lo que creemos porque nos han dicho que algo era cierto, lo hemos aceptado y eso ha resultado ser verdadero en nuestra experiencia.

A lo largo de nuestra infancia y juventud desarrollamos un conjunto de creencias sobre nosotros y nuestro mundo; algunas buenas, otras malas, algunas hermosas, otras terribles. Algunas de estas creencias han cambiado con el tiempo, otras no, y muchas de ellas se contradicen entre sí. Mientras sigamos conservando estas creencias sin examinarlas de vez en cuando, éstas no dejarán de dominar nuestra vida. Sin embargo, cuando las observemos con claridad, podremos empezar a cambiarlas.

Podemos modificar toda clase de creencias, hasta nuestras creencias más arraigadas sobre el tiempo y el dinero, dos ingredientes esenciales de una vida que merece la pena vivir. Ya he escrito sobre este tema, así que parte de lo que sigue es una selección de pasajes de *The Millionaire Course* y nuevo material añadido.

Comprender el tiempo

Comprender el tiempo, e incluso llegar a dominarlo, no es imposible; requiere que observemos nuestras creencias al respecto y que estemos dispuestos a cambiar algunas de ellas. Muchas personas tienen distintas creencias sobre el tiempo y, en consecuencia, viven en una realidad completamente diferente.

Resulta extraño cuando lo pensamos: todos tenemos un gran y complejo conjunto de creencias sobre el tiempo, sin embargo, casi nunca pensamos en ellas, y rara vez, por no decir ninguna, las examinamos a conciencia. Cuando las pensamos con bastante detenimiento, pronto nos damos cuenta de que, como nuestras demás creencias, no son necesariamente ciertas en sí mismas, pero sí son creencias autocumplidas cuando creemos que son ciertas.

Hasta que cumplí los treinta y cinco más o menos, creía que en mi vida no disponía del tiempo o del dinero suficiente. Las dos cosas estaban relacionadas de alguna manera y yo tenía dificultades con ambas. Por algún motivo, Dios no había creado suficiente. Siempre se me hacía tarde. No tenía suficiente tiempo para hacer lo que quería. Las cosas siempre requerían mucho más tiempo del que había planeado. El tiempo pasaba volando.

¿Te suenan algunas de estas creencias?

Entonces algo cambió en mi conjunto de creencias. Descubrí que podía, de manera consciente, elegir cambiar mis creencias para generar más tiempo en mi vida. Estoy casi seguro de que lo más eficaz que hice fue afirmar repetidamente estas palabras junto con mis objetivos: *de forma sencilla, apacible, saludable y positiva, en su momento idóneo, para el mayor beneficio de todos.*

Ahora tengo todo el tiempo que necesito. Rara vez tengo que ir a toda prisa a alguna parte. Tengo mucho tiempo libre, todo el tiempo que quiero y necesito para relajarme, todo el tiempo que quiero para mis trabajos creativos y cantidad de tiempo para los amigos y la familia. Toda mi vida ha cambiado cuando la creencia de que dispongo del tiempo suficiente ha eclipsado mi antigua creencia de que carecía de él.

¿Sueles estar estresado, como si estuvieras en una especie de carrera a contrarreloj? ¿Qué piensas, qué te dices a ti mismo en esos momentos? ¿El universo no creó suficiente tiempo para ti?

Echa un vistazo a tus creencias sobre el tiempo, y realiza los pasos necesarios para cambiarlas.

Afirma que tus objetivos se están cumpliendo,
de forma sencilla, apacible,
saludable y positiva,
en su momento idóneo
y para el mayor beneficio de todos.

Estas palabras son verdaderamente mágicas:
pueden ayudarte a dominar el tiempo y el dinero.

Seguiremos siendo esclavos del reloj mientras sigamos creyendo que lo somos. Sin embargo, somos perfectamente capaces de dominar el tiempo. En estas páginas se hallan las claves que nos mostrarán cómo. Vivimos en un universo abundante, y eso incluye abundancia de tiempo, dinero y de todo lo demás.

Dominar el tiempo

Existe un sendero mágico, un atajo, para generar más tiempo en nuestra vida de forma fácil y sin esfuerzo. Simplemente reflexiona sobre esta frase y comprueba si puedes asimilarla y luego ponerla en práctica en tu vida. Nuestras creencias no son verdaderas en sí mismas, sino que se vuelven verdaderas en nuestra experiencia cuando creemos en ellas. Lo mismo vale para todas nuestras creencias sobre el tiempo, así que ciertamente merece la pena echarles un vistazo.

Cuando somos capaces de cambiar nuestras creencias sobre el tiempo, podemos dominarlo y disponer de mucho tiempo, más que suficiente. ¿Cómo modificar nuestras creencias? Siguiendo el método para cambiar las creencias más arraigadas del que hablaré a continuación. O haciendo algo todavía más sencillo:

Tómate un tiempo, inspira hondo y relájate...
Ahora di en voz alta (o para tus adentros, de forma muy clara) la respuesta a esta pregunta: ¿cuáles son mis creencias respecto al tiempo?
Expresa tus creencias sobre el tiempo con las palabras más sencillas posibles...
(Un ejemplo: *no tengo tiempo suficiente para hacer lo que quiero.*) Luego busca una afirmación que contradiga directamente y contrarreste estas creencias. Algo similar a:

Tengo mucho tiempo para hacer lo que quiero,
de forma sencilla, apacible, saludable y positiva.

Puedes elegir conscientemente dejar de programarte a ti mismo la creencia de que no dispones de suficiente tiempo, y comenzar a programarte la creencia de que tienes todo el tiempo del mundo.

Puedes dominar el tiempo.

Cree que eso es posible y será posible para ti. Cree que es cierto, y será cierto para ti, en tu vida y en tu mundo.

Comprender el dinero

La mayoría de nosotros albergamos numerosas creencias confusas sobre el dinero. Hasta que cumplí los treinta y cinco años, ciertamente yo también. Nunca tenía bastante dinero. El dinero era escaso, difícil de conseguir. Después de todo, el dinero no crece de los árboles. Creía que era necesario trabajar duro, tener disciplina, inteligencia, talento, suerte y perseverancia para ganar dinero, cosas que no creía tener o no quería hacer. Creía que era necesario tener dinero para ganar más dinero y, puesto que no tenía nada de dinero, tenía todas las de perder. Los ricos se hacen más ricos y los pobres más pobres. Un inútil y su dinero pronto se separan, y yo creía, en lo más profundo, cuando examinaba mi historial con el dinero, que decididamente era un inútil.

Sin duda eso era cierto en mi experiencia. Cualquier cosa que hiciera se evaporaba rápidamente. Además, creía incluso que quizás el dinero era el origen de todos los males, que el dinero corrompía, que la búsqueda del todopoderoso dólar nos distraía de lo que realmente es importante en la vida y que es imposible que una persona rica sea una buena persona.

¿Te suenan algunas de estas creencias? ¿Qué piensas, qué te dices a ti mismo sobre el dinero?

¿Crees que el dinero es escaso? ¿El universo no creó suficiente dinero para ti? ¿Crees que no reúnes los requisitos para ganar una cantidad considerable de dinero? ¿Crees que el dinero es difícil de conseguir? ¿Crees que si lo consigues tú, alguien tendrá que apañárselas sin él, o que de alguna otra forma saldrá perjudicado a causa de él? ¿Crees que el dinero te corromperá? ¿O te distraerá de las cosas importantes de la vida?

Revisa tus creencias sobre el dinero y toma las medidas necesarias para cambiarlas. Sigue el siguiente método para cambiar las creencias más arraigadas tantas veces como sea necesario. Tras pasar por ese proceso varias veces, a lo largo de varios años, algo cambió en mis creencias sobre el dinero y su disponibilidad. Llegué a ver y a creer que el dinero podía ser una fuerza enorme para crear cosas buenas en mi vida y en la vida de muchas otras personas. Llegué a evitar muchos problemas potenciales con el dinero a base de recordarme constantemente a mí mismo que cada paso que daba era para el mayor beneficio de todos.

> Puedes tomar la decisión consciente de cambiar
> tus creencias y generar más dinero en tu vida.
> La decisión está en tus manos.

Estoy casi seguro de que lo más eficaz que hice en este ámbito fue simplemente pedir –y rezar por– una cantidad determinada de dinero, una que supusiera semejante salto expansivo que ni siquiera podía alcanzar a imaginar.

En cuanto pedimos una cantidad considerable de dinero, empezamos a tener ideas creativas y se nos ocurren distintas posibilidades que podrían darnos perfectamente la cantidad de dinero que estamos pidiendo. De pronto aparecen distintas oportunidades, y normalmente sentimos como si estas oportunidades hubieran estado delante de nosotros todo el tiempo, sólo que no las habíamos advertido hasta ese momento.

Algunas de estas ideas y oportunidades me llevaron por senderos que no quería tomar, sobre los que no tenía ningún interés o por los que carecía de energía para seguir; algunas me abrieron posibilidades que rechacé porque, de alguna manera, no las sentía sencillas, apacibles, saludables o positivas. Pero algunas de esas posibilidades han despertado algo en mí y me han llevado a tomar nuevos rumbos que son desafiantes y satisfactorios.

Vivo en un mundo que es verdaderamente abundante y el universo me proporciona una parte espaciosa de él. He descubierto maneras de obtener ingresos de una variedad de fuentes distintas. He recibido exactamente lo que he pedido: ni más, ni menos. Ciertamente, la siguiente es una de las claves más importantes:

Recibirás lo que pidas; ni más, ni menos.

Mi vivencia de la realidad ha cambiado por completo a medida que mis nuevas creencias han ido sustituyendo mis antiguas creencias sobre la escasez. Ya no trabajo para ganar dinero; hago lo que me gusta, y siempre tengo mucho dinero. Eso es lo que creo, y eso es lo que se ha hecho realidad en mi vida.

Dominar el dinero

Nuestras creencias no son verdaderas en sí mismas, sino que se vuelven verdaderas en nuestra experiencia cuando creemos en ellas. Lo mismo vale para todas nuestras creencias sobre el dinero, así que ciertamente merece la pena echarles un vistazo.

Cuando somos capaces de cambiar nuestras creencias sobre el dinero, podemos dominarlo y disponer de mucho dinero, más que suficiente. ¿Cómo modificar nuestras creencias? Siguiendo el método para cambiar las creencias más arraigadas que hay a continuación. O simplificándolo todavía más y haciendo solamente este breve ejercicio:

Tómate un momento, inspira hondo y relájate, de la cabeza a los pies…
Ahora di en voz alta (o para tus adentros, de forma muy clara) la respuesta a esta pregunta: ¿cuáles son mis creencias respecto al dinero?
Expresa tus creencias sobre el dinero con las palabras más sencillas posibles…
(Un ejemplo: *no tengo dinero suficiente para hacer lo que quiero. No soy capaz de ganar el dinero suficiente*).
Luego busca una afirmación que contradiga directamente y contrarreste estas creencias. Algo similar a:

Soy prudente y tengo el control de mis finanzas,
estoy contribuyendo a mi éxito económico absoluto,
de forma sencilla, apacible,
saludable y positiva.

Puedes elegir a conciencia dejar de programarte a ti mismo la creencia de que no dispones de suficiente dinero, y comenzar a programarte la creencia de que tienes todo el dinero del mundo.

Puedes ser un maestro del dinero.

Dominar el dinero no es tan difícil. Cree que eso es posible y será posible para ti. Cree que es cierto, y será cierto para ti, en tu vida y en tu mundo. Si te cuesta creerlo, realiza el siguiente proceso con la mente abierta y observa qué sucede.

El método para cambiar las creencias más arraigadas

Afortunadamente para todos, existe un método sencillo que podemos utilizar para cambiar a conciencia nuestras creencias sobre el tiempo, el dinero o cualquier idea que esté socavando nuestro sueño de crear, como por arte de magia, una vida y un mundo mejores. Lo he incluido en otros libros y tengo que incluirlo en éste también. Merece la pena repetirlo hasta que tu vida y tu mundo cambien para mejor. (Tardé siete años, durante los cuales lo seguí numerosas veces, en lograr que el método finalmente tuviera un efecto poderoso y duradero en mi vida).

Puedes seguir este procedimiento en cualquier momento, pero el más idóneo es cuando estás disgustado por algo, cuando estás enfrentándote a un *problema*. Lo único que tienes que hacer es responder a estas preguntas con la mayor sinceridad posible, ya sea mentalmente o por escrito.

1. *¿Cuál es el problema?* Describe la situación durante uno o dos minutos.
2. *¿Qué emociones sientes?* Nómbralas, simplemente, en una o dos palabras. ¿Sientes miedo, frustración, ira, culpa, tristeza? A veces el simple hecho de nombrar las emociones será suficiente para deshacerte de algunas de ellas. Otras veces, tendrás que seguir todos los pasos del proceso para que cambien tus emociones.
3. *¿Qué sensaciones físicas tienes?* Tómate un minuto para lograr estar más receptivo con tu cuerpo. Describe brevemente lo que sientes a nivel físico.
4. *¿Qué piensas al respecto?* Tómate varios minutos y di en voz alta o escribe lo que has estado pensando. ¿Últimamente has tenido una serie de pensamientos repetitivos? ¿Cuáles son esos pensamientos recurrentes?

5. *¿Qué es lo peor que podría pasarte en esta situación?* ¿Cuál es el peor escenario posible que puedes imaginar? Si eso ocurriera, ¿qué sería lo peor que podría pasarte? Arrojar un poco de luz a nuestros temores más profundos es una práctica positiva porque nos permite darnos cuenta de que la probabilidad de que se cumplan esos temores en realidad es muy baja.

6. *¿Qué es lo mejor que podría pasarte?* ¿Qué te gustaría que pasara, cuál sería tu situación ideal? ¿Cuál es tu escenario ideal para este aspecto de tu vida?

7. *¿Qué temor o creencia limitativa te está impidiendo crear lo que quieres?* Ahora llegamos a la raíz del problema: ¿qué temor o creencia limitativa puedes identificar que te esté impidiendo crear tu escenario ideal en esta situación particular? Exponlo de la forma más clara posible (cuanto más simple, mejor). *Soy un inútil con el dinero... No reúno los requisitos necesarios... Es muy difícil tener éxito... Todo es muy estresante y malsano...*

8. *¿Qué afirmaciones se te ocurren que contradigan esa creencia negativa o limitativa?* Expresa esa creencia en términos opuestos. Dale las vueltas que haga falta hasta que encuentres una afirmación que sea adecuada para ti y se dirija a ti de tu manera única. *Soy prudente y tengo el control de mis finanzas... estoy contribuyendo a mi éxito absoluto... estoy creando abundancia en mi vida... Estoy viviendo la vida de mis sueños, de forma sencilla, apacible, saludable y positiva.*

9. *Di o escribe tu afirmación repetidamente a lo largo de los días, las semanas y los meses siguientes.* Escríbela y cuélgala en lugares donde la veas a menudo. Repítela —o repítelas, si tienes varias— por la mañana y a lo largo del día siempre que te acuerdes, especialmente cuando te surjan dudas y temores, como sucederá casi con total certeza. Cuando la repitas lo suficiente, finalmente será más poderosa que tus dudas y temores.

Entonces, se manifestará la magia de la creación de forma sencilla, apacible, saludable y positiva, en su momento idóneo y para el mayor beneficio de todos.

Cuando seguí este sencillo método, empezaron a producirse cambios asombrosos casi de inmediato (a pesar, como he dicho, de que el proceso tardó siete años en tener un impacto duradero en mi vida y en que ésta cambiara drásticamente). No tuve que creer que el proceso funcionaría porque vi cómo funcionó en mi propia vida.

El secreto de esta forma de magia sencilla y a la vez poderosa está claramente expresado en la Biblia:

Todos tus proyectos tendrán éxito,
y por tus caminos brillará la luz.

JOB 22:28

Hemos escuchado muchas cosas parecidas una y otra vez. Ahora estas antiguas verdades están empezando a ser realidad en la vida de un gran número de personas. Cuando veamos el poder que tenemos para influir sobre nuestras creencias, veremos que podemos cambiar nuestra vida y también el mundo.

En realidad, veremos que tenemos todo lo que necesitamos en este momento para hacer realidad nuestros mayores sueños. Descubriremos que somos capaces de tener un sueño noble, afirmar que se está haciendo realidad y dar los pasos necesarios para que se cumpla.

Éstas son las claves del sendero directo, el sendero de magia real y efectiva.

Tienes todo lo que necesitas en este momento
para hacer realidad tus mayores sueños.

Que así sea. ¡Así es!

7

Oraciones y mantras
a lo largo del día

Lo que somos hoy surge de nuestros pensamientos de ayer,
y nuestros pensamientos de hoy forman
nuestra vida de mañana;
nuestra vida es obra de nuestra mente.

BUDA EN EL DHAMMAPADA (y James Allen)

Sólo tenemos el momento presente, el ahora. El pasado no es más que un producto de nuestra imaginación y el futuro no existe. La vida es el ahora. (Gracias, Eckart Tolle y Dalai Lama, por recordarnos esto de un modo tan hermoso).

En este momento, ahora, solamente podemos tener un pensamiento. Este pensamiento tiene un poder creativo, para bien o para mal. Cuanto más conscientes seamos de elegir pensamientos positivos en el presente, más repleta estará nuestra vida de cosas buenas. Todo pensamiento que tenemos programa nuestro subconsciente. Todo pensamiento tiene resultados.

Así que ciertamente es positivo hacer lo que podamos a lo largo del día para acordarnos de programar nuestro subconsciente con pensamientos poderosos y creativos. Hay cientos y cientos —*miles*—

de posibilidades. A lo largo de este libro propondré unas cuantas, pero te recomiendo que las modifiques y las expreses a tu manera.

> La oración es el contacto de la propia mente
> con Dios-Mente,
> de tal manera que resulte
> en la consecución de un bien deseado.
>
> Ernest Holmes

> Las mejores oraciones son las más breves.
>
> Martin Luther

Meditaciones y oraciones matutinas

Cada momento es una creación mágica, pero por las mañanas hay una energía creativa especialmente brillante. Es un momento ideal para la meditación o la oración. Las oraciones matutinas pueden ser muy variables. Utiliza estas palabras sólo a modo de sugerencia, de ayuda para crear tu propio ritual u oración.

Cuando nos despertamos por la mañana, hay un momento en el que todavía estamos conectados con los mundos de ensueño e incluso un momento en el que una parte de nosotros todavía sobrevive en ese espacio sin sonido ni palabras del sueño profundo. Trata de ser todo lo consciente que puedas de tu estado de ánimo justo después de despertarte. Todavía estás conectado con algo vasto, que va mucho más allá de tu cuerpo.

Permanece un rato tumbado boca arriba, relájate y evoca la profunda relajación que sientes físicamente. Recuerda y disfruta del profundo placer de dormir sin soñar.

Luego prueba de recordar cualquier sueño que puedas. Recuerda el truco (mencionado en el capítulo 3) llamado «agarrar la cola de la serpiente», trata de recordar la última imagen de tu sueño e intenta recordar la secuencia hasta el principio, con todos los detalles posibles. Los sueños son poderosos, como todos sabemos: son una terapia esencial, y también mucho más. Nuestros sueños nos traen mensajes de nuestro inmenso subconsciente.

> Algunos de los mensajes de nuestros sueños
> son tan poderosos que pueden guiarnos
> en todo momento cuando estamos despiertos.

Esta afirmación es válida para los dos tipos de sueños que tenemos: los sueños que tenemos mientras dormimos y los sueños que osamos imaginar cuando estamos despiertos.

Cuando logres estar relajado y te hayas acordado de tus sueños, levántate con toda la tranquilidad posible y ve a tu lugar favorito para realizar tu oración matutina. Puede ser un lugar exterior o interior. Es mejor que sea íntimo y tranquilo, pero puedes hacerlo en cualquier lugar. (He realizado variantes de esta oración mientras caminaba por las calles ruidosas y ajetreadas de Nueva York y Los Ángeles).

Inspira hondo y relájate mientras espiras…
Inspira hondo y, al espirar, deja que se vayan todos tus pensamientos…
Simplemente permanece en silencio, en el momento…
Siente la energía de la mañana…
Escucha los sonidos…
Observa *la existencia*…
Tómate un momento para estar tranquilo, quieto y en paz…

Ya sea en una ciudad, en el campo o entre medio, estás rodeado de las maravillas de la creación…
Tómate un momento para dirigirte al ser o la fuerza que ha creado los milagros que hay a tu alrededor…

Evoca, por medio de tus pensamientos, o bien susurrando o pronunciando unas palabras, a ese ser o fuerza…

Dale un nombre. Muchos lo llaman Dios; utiliza este nombre si te parece adecuado. También puedes llamarlo Creador, Gran Espíritu o Gran Misterio, o cualquier otro nombre que elijas…

Por ahora, lo llamaremos Creador…

Evoca al Creador…

Primero dale las gracias con gratitud, por *la existencia*…

Dale las gracias por la milagrosa creación de la que tú eres una parte vital…

Da las gracias al Creador por algo concreto de tu vida; halla algo nuevo cada día…

Has añadido algo a tu lista de agradecimientos, y te das cuenta de que la lista de cosas por las que estás agradecido es interminable…

Pide que las fuerzas de la creación te guíen a lo largo del día…

Solicita cualquier consejo particular que el Creador tenga para ti en este momento…

Permanece en silencio y escucha en tu interior cualquier palabra que surja…

Deja que la quietud te hable…

Pide y recibirás.

Pide consejo a las fuerzas más elevadas y poderosas de la creación, y te será dado.

Que así sea. Así es.

Ahora dirígete al sol. Aunque esté oculto por la tierra o por las nubes, el sol siempre está allí, siempre brillando, y ha estado brillando durante miles de millones de años, bañando la tierra de luz, llenando la tierra de vida.

Encuentra el sol y encárate en esa dirección.
Ponte de cara al sol y deja que llene tu cuerpo con su luz…
Siente la brillantez del sol en la corona de la cabeza…
Siente cómo te desciende por la columna vertebral…
Eres un pilar de luz…
Esto es *la existencia.*

Estás compuesto de la misma materia que las estrellas…
Eres uno con la fuente de la creación…
Uno con el Creador…
Estás repleto de luz y energía vital sanadora…
Esa energía de tu interior es radiante, completamente pura…
Es la esencia de lo que eres, y seguirá siendo por siempre jamás…
Eres la vida misma, con todo su poder y su gloria…

Asegúrate de realizar alguna oración cada mañana. Si tienes prisa, puedes hacerla en muy poco tiempo, en menos de un minuto si es necesario, pero haz algo. Conviértelo en un hábito. Incluso aunque pienses que no tienes tiempo, inspira hondo y di algo similar a:

Gracias por la luz y la vida que hay en mi interior.
Guíame a lo largo del día.

Todos sabemos y notamos que la mañana es un momento extraordinario. La noche se está trasformando en el día y la luz está regresando a nuestra vida. Toma la energía de ese sol e imagina que atraviesa todo tu cuerpo, mientras bendice, cura y nutre cada una de tus células…

En ese momento, reconoces el milagro de la existencia. Todas las vidas son un milagro. Todas las vidas son creaciones mágicas. La vida y la luz de tu interior están obrando milagros en tu vida, en cada momento de tu día a día. Afirma algo similar a:

Cada día, en todos los aspectos,
la luz y la vida de mi interior
están obrando milagros en mi vida
y en el mundo.

En el silencio de nuestra mente matutina, las palabras y las imágenes que traemos a nuestra mente permanecen con nosotros a lo largo del día e iluminan nuestra vida.

EN EL SILENCIO DE NUESTRA MENTE MATUTINA

Despertamos de nuestro sueño…
Todavía persiste la última imagen de un sueño, y recordamos algo mágico…

El resto del mundo también se despierta…
Y escuchamos, con la mente en blanco…
Escuchamos cómo el viento entona su melodía…
Vemos los árboles que se balancean en su dulce baile…
Y sabemos, reconocemos:
¡Que somos eso!
Somos ese viento y esos árboles…
Y todo el precioso mundo, con su danza de la creación.

Recordar a lo largo del día

Halla algún modo de acordarte de tus oraciones, afirmaciones, mantras u otras frases de magia e inspiración a lo largo del día. Después de todo:

Tus pensamientos y palabras tienen un poder creativo.
Observa lo que piensas y dices
en cada momento del día.

Las personas se estremecen cuando digo esto. Piensan: «¡Oh, no! ¿Tengo que ser consciente de cada pensamiento, de cada palabra?» La mayoría de personas pasan la mayor parte del día completamente ajena a casi todos sus pensamientos.

Sin embargo, hay buenas noticias, incluso para los que están más perdidos y confusos: los pensamientos positivos que repetimos a conciencia son mucho más poderosos que los negativos, y sólo necesitamos seguir pensando en esos pensamientos positivos durante un pequeño porcentaje de tiempo para que tengan un impacto enorme en nuestra vida.

La trayectoria de vuelo de nuestra vida de creación mágica es exactamente igual que la de un avión, por lo menos en un aspecto poderoso: un avión se desvía de su plan de vuelo el 95 por 100 del tiempo, pero el piloto corrige su rumbo continuamente y el avión llega a su destino.

Cuando decidimos convertirnos en los magos y los genios creativos que todos somos capaces de ser, descubrimos que las herramientas y los vehículos que necesitamos están esperando a que los utilicemos. Cuando hacemos un plan, el que sea, para alcanzar nuestros sueños y objetivos, estamos fijando un rumbo. Por suerte, podemos desviarnos de él la mayor parte del tiempo, pero siempre que sigamos regresando a las palabras que nos inspiran y empoderan, siempre que sigamos regresando a nuestros sueños y objetivos, retomaremos nuestro rumbo y llegaremos al destino que hemos elegido.

Podemos desviarnos de nuestra ruta la mayor parte del tiempo
y aun así llegar a nuestro destino.
Lo único que necesitamos es corregir
un poco nuestro rumbo sobre la marcha.

167

Recitar poemas

Esta poderosa práctica también es divertida: busca un poema que te guste, que disfrutes leyendo, memorízalo y repítelo durante el día. ¡No subestimes el poder de esta tarea tan sencilla y divertida!

Durante años, el poema que ocupa la primera página, el frontispicio, de *Como un hombre piensa, así es su vida* –el poema con el que he iniciado el anterior capítulo del libro– era uno de los pilares más importantes de mi vida. Lo memoricé y repetí hasta que sus palabras calaron en mi subconsciente. Aquí está, una vez más:

> La mente es el principal poder que moldea y crea.
> El hombre es inteligente y siempre que tome
> la herramienta del pensamiento y le dé forma a lo que desea,
> produce mucha alegría o mucha infelicidad.
> Lo que el hombre piensa en secreto, eso sucede.
> Su medio ambiente o entorno
> no es más que su espejo.

Tras varios años repitiendo este poema, empecé a repetir también el segundo poema de este libro, en el que James Allen cita un poema de Ella Wheeler Wilcox. Estos poemas pueden tener un profundo impacto en el día a día de tu vida si los memorizas y recitas o piensas repetidamente durante varios días o semanas:

> Serás lo que quieras ser;
> deja que el fracaso halle su falso contenido
> en el «medio», esa palabra mediocre
> que el Espíritu desprecia, y es libre.
> Domina el tiempo, conquista el espacio,
> intimida esa Oportunidad jactanciosa y tramposa,
> declara la tirana Circunstancia
> no coronada, y ocupa el lugar de un sirviente.

La Voluntad humana, esa fuerza oculta,
el vástago de un Alma inmortal,
puede abrirse paso hacia cualquier objetivo
aunque se interpongan muros de granito.

No seas impaciente ante el retraso,
sino espera como aquel que comprende;
cuando el espíritu se alza y dirige,
los dioses están listos para obedecer.

Cuando tu espíritu se alza y toma el mando, evocas las fuerzas creativas del universo para que te ayuden. Más adelante volveremos a este poema, porque la repetición de estas palabras es un poderoso ritual mágico en sí mismo, una evocación de las fuerzas creativas.

La poesía, la oración, los mantras, las afirmaciones, las canciones, los tintineos, los ritmos... no importa qué forma adopten, pues cuando palabras poderosas se graban en nuestra extraordinaria mente, los resultados son milagrosos.

Recitar frases

También sirven las frases cortas y las declaraciones. Cuando las memorizamos y recitamos, evocamos las energías creativas que contienen estas palabras.

Sólo unas pocas frases repetidas numerosas veces a lo largo de muchos meses han influido profundamente en mi vida. He aquí las cuatro frases más poderosas que he encontrado hasta la fecha, ordenadas según las he ido descubriendo. Están colgadas en la pared de mi casa con letra grande y las he repetido cientos de veces.

**Serás tan magnífico
como la aspiración que te domina...**

Aquel que adora su hermosa visión, un alto ideal en su corazón,
un día lo verá realizado.

JAMES ALLEN, *Como un hombre piensa, así es su vida*

En cada adversidad se halla la semilla
de un beneficio equivalente o mejor.
En cada problema se esconde una oportunidad.
Incluso en los reveses de la vida
podemos hallar grandes obsequios.

Inspirado por NAPOLEON HILL y el Bhagavad-Gita

No oponer resistencia a la vida
es estar en un estado de gracia, facilidad y ligereza.

ECKHART TOLLE, *El poder del ahora*

La felicidad que se deriva de una fuente secundaria
nunca es muy profunda.
Es sólo un pálido reflejo de la felicidad de Ser,
la paz vibrante que usted encuentra en su interior
cuando entra en el estado de no resistencia.

ECKHART TOLLE, *El poder del ahora*

Encuentra las frases que te conmueven profundamente y repítelas hasta que queden grabadas en lo hondo de tu subconsciente. Estas palabras tienen el poder de llenarte de energía, luz y vida.

Un anillo de poder

Coge un anillo, cualquiera que elijas, que te recuerde que ya eres un mago creativo capaz de crear lo que desees a partir de la nada.

Lleva el anillo donde más te apetezca. (A mí me gusta llevarlo en mi lado más dominante y activo: el derecho si eres diestro y el izquierdo si eres zurdo). Cuando extiendas el brazo hacia el cielo, cuando hagas cualquier cosa a lo largo del día, deja que tu anillo sea un recordatorio del poder de la creación que fluye por todo tu ser en todo momento, empezando por los niveles superiores del espíritu y descendiendo hasta el plano sólido y tangible.

Deja que tu anillo te recuerde que tienes las herramientas que necesitas en tu juego de herramientas de mago.

> Ya sabes lo suficiente.
> Tienes todas las respuestas en tu interior.
> Solamente necesitas preguntarte.

Si tienes dudas, basta con que repitas esta gran afirmación: *¡Soy suficiente! ¡Soy suficiente!* Estás afirmando lo que es cierto, y tu anillo te recordará, cada día, que tienes todo lo que necesitas, que todas las respuestas que necesitas ya están en tu interior.

> Tengo todo lo que necesito
> para disfrutar el aquí y el ahora.

MEDITACIÓN OH, AGUA SANADORA

A veces las meditaciones más poderosas son las más breves y sencillas. Para ésta sólo es necesario un vaso de agua y unos pocos segundos.

Llena un vaso de agua limpia y clara. Bébela lentamente...
Siente cómo desciende por tu garganta, refrescándola, lim-

piándola, sanándola…
Di algo similar a:[1]

Oh, Agua Sanadora, Oh, Agua Sanadora,
hoy he venido a unirme a ti
para limpiar mis penas, preocupaciones y tristezas,
para borrar todas mis dolencias.

Oh, Agua Sanadora,
aportas vida y luz
a todas las células de mi cuerpo
y siempre me recuerdas
que soy vida, luz y amor.

MEDITACIÓN DEL ELIXIR DE LOS DIOSES

Por supuesto, también puedes hacer una meditación similar con
zumo de frutas. Elige tu zumo favorito o elabora una mezcla deli-
ciosa de distintos zumos. ¡O haz un batido de frutas!

Llena un vaso de zumo de frutas…
Levántalo y mantenlo elevado hacia el cielo…
Es un elixir de los dioses…

Sórbelo lentamente…
Siente cómo te desciende por la garganta, limpiándola, sa-
nándola…
Siente cómo te llena de energía vibrante…

¡Oh, poderoso elixir!

---

1. «O Healing Water» (que en español puede traducirse por «Oh, Agua Sanadora») es una hermosa canción escrita por Summer Raven. En mi álbum *Seeds* he grabado esta canción con letra y en el ál-bum *Solo Flight* una versión instrumental (sin la letra). En esta breve meditación he modificado y añadido algunas palabras.

Aportas vida y luz
a cada célula de mi cuerpo
y me recuerdas, en todo momento,
que soy vida, luz y amor.

MEDITACIÓN DEL ESPÍRITU

Terminaremos este capítulo con dos meditaciones y una oración más. La primera es una meditación que evoca el espíritu y nos llena con él, muy parecida a la Meditación del Pilar Medio. Es breve, sencilla y fácil de recordar a lo largo del día.

Relájate…
Haz una inspiración profunda y limpiadora y relaja el cuerpo…
Inspira hondo otra vez, relaja la mente y deja que se vayan todos tus pensamientos…
Inspira hondo otra vez más y deja que se vaya todo…
Siente tu presencia interior…
Siente que flotas en un océano de gracia, facilidad y ligereza…
Siente que la energía de la vida misma cala en todas las células de tu cuerpo…

Ahora siente la energía en la corona de la cabeza…
Imagina que tienes el chakra de la corona abierto y radiante…
Su radiante luz te llena y también te abre el sexto chakra, tu visionario tercer ojo…
Hay una presencia allí, un ser de luz y amor…
Es tu espíritu, tu ser superior, tu ser eterno…
Imagina que ese espíritu se fusiona con tu cuerpo físico e infunde a cada célula su energía vital sanadora…
Estás lleno de luz…
Eres espíritu…

Haz a tu espíritu cualquier pregunta que tengas y escucha su respuesta...
Pídele al espíritu que esté contigo en todo momento a lo largo del día...

Afirma y recuerda:

Estoy lleno de espíritu, en todo momento.

Que así sea. ¡Así es!

MEDITACIÓN DEL MAGO ESPÍRITU

Cuando seguimos estas meditaciones guiadas, estos viajes de imaginación pura, recordamos lo que experimentamos con tanta claridad como recordamos las cosas que nos ocurren en el llamado mundo real. En nuestros recorridos interiores vamos a lugares, creamos santuarios y conocemos a Guías. Recordamos sus palabras, que son perfectas para nosotros. Y descubrimos que podemos evocar en nuestra vida cotidiana las energías sanadoras y creativas de su presencia.

Todo empieza en nuestra imaginación; cuando uno se convierte en un mago de su imaginación, de pronto, se descubre haciendo magia en el mundo real. Ya hemos conocido a nuestro Guía Interior, nuestro aliado que nos ayuda en cada paso del camino. Responde a cualquier pregunta y nos da los consejos que necesitamos.

Nuestro mago interior es un poco diferente de nuestro Guía Interior, por lo menos del modo en que yo lo veo. Nuestro Guía Interior acude a nosotros desde la lejanía y tiene una presencia y una personalidad que sentimos diferenciada de la nuestra. El mago somos *nosotros*, nuestra parte más elevada, nuestro espíritu puro. Cuando imaginas el mago interior, estás evocando esa parte de ti mismo más elevada y evolucionada.

El mago señala hacia el cielo con la mano derecha y hacia la tierra con la izquierda, lo que significa que es capaz de crear, comenzando por las esferas espirituales y mentales del plano superior, y luego llevando esas energías al plano físico y arraigándolas a la tierra.

Cuando imaginas el mago que habita en tu interior,
estás evocando la fuerza creativa del universo
para que haga lo que tú desees.

Relájate…
Haz una inspiración profunda y limpiadora y relaja el cuerpo…
Inspira hondo otra vez, relaja la mente y deja que se vayan todos tus pensamientos…
Inspira hondo otra vez más y *deja que se vaya todo*…
Báñate en la luz de tu ser…
Siente que flotas en un océano de luz con gracia, facilidad y ligereza…
Siente cómo la energía vital sanadora cala en todas las células de tu cuerpo…

Siente la calidez en la corona de la cabeza…
Hay una luz radiante allí…
Una corona de luz dorada e incandescente…
Te toca, forma parte de ti y se extiende por todo tu cuerpo y por todo el universo…

Hay una presencia que emerge del campo del espíritu, un ser de luz y amor…
Es tu espíritu, tu ser superior, tu ser eterno…
Adopta la forma del mago que eres…
El mago señala al cielo con la mano derecha…
Extiende el brazo muy alto…
Con ello, evoca las energías creativas del universo…
El mago señala hacia abajo con la mano izquierda, a través de

la cual lleva las energías superiores de los cielos a la tierra…
Y lo que no tiene forma adquiere forma…

Permanece un rato con tu mago en silencio…
Deja que tu mago interior te guíe en tus rituales, oraciones o afirmaciones…
Hazle todas las preguntas que tengas y escucha sus respuestas…
Pide a tu mago que te guíe y te empodere en cada paso de tu trayecto mágico…

Imagina que la presencia o espíritu del mago se fusiona con tu cuerpo e infunde cada una de tus células con el poder de su energía vital…
Estás lleno de luz. Eres espíritu…
Eres un mago.

Que así sea. Así es.

LA ORACIÓN ETERNA
Pronuncia esta oración mientras estás sentado tranquilamente. Visualízala como puedas mientras la pronuncias.

Cierro los ojos y veo un campo de luz,
y siento esa luz y esa vida
en todas las células de mi cuerpo,
que las nutre y las cura.
Y sé que esa luz, esa vida, ese amor,
es lo que soy, ahora y siempre.

Amén.
Siéntate con un ser querido o imagínalo, y recitad juntos la oración. Es una oración maravillosa para recitarla también con los niños, especialmente cuando es hora de acostarse.

Cerramos los ojos y vemos un campo de luz,
y sentimos esa luz y esa vida
en todas las células de nuestro cuerpo,
que las nutre y las cura.
Y sabemos que esa luz, esa vida, ese amor,
es lo que somos, ahora y siempre.

Amén.

Relaciones mágicas

*La oportunidad del ser humano, nos dice la religión,
es trasformar nuestros destellos de conocimiento
en una luz duradera.*

HUSTON SMITH

En el capítulo 5 hemos leído estas palabras de Huston Smith, una de mis citas favoritas y la tengo frente a mí, escrita en letra grande y colgada en la pared mientras escribo estas palabras.

Estas grandes palabras resumen lo que aprendió a partir de su estudio del budismo y de otras religiones durante muchos años. Los maestros budistas nos recuerdan con frecuencia que el hecho de haber nacido humanos es una oportunidad excelente y maravillosa. Esta vida que nos ha sido dada, este momento, es una oportunidad para recordar nuestros destellos de iluminación y convertir estas memorias fugaces en una paz interior duradera y una luz perdurable. Nuestras experiencias cumbre pueden llevarnos a desarrollar la plenitud de quienes somos realmente.

Todos disponemos de esta gran oportunidad, que es intrínseca a nuestro cuerpo, mente y espíritu humanos. En cuanto vemos esta oportunidad, nos damos cuenta de que tenemos la capacidad de sacarle partido. Todos hemos tenido destellos de esclarecimiento.

Todos hemos tenido momentos de ilustración en los que hemos alcanzado a ver la maravilla de la existencia.

En este momento tenemos la oportunidad de centrarnos en estos destellos de esclarecimiento y recordarlos. En el plano físico podemos evocar las sensaciones de esas experiencias en cada una de las células de nuestro cuerpo. Y en algún plano recóndito del subconsciente, estos recuerdos pueden tener un efecto tan profundo que infunden de conciencia y luz cada momento de nuestra vida.

Recuérdalo cuando estés solo y cuando estés interaccionando con los demás. En las experiencias cumbre que has vivido, has descubierto la verdad de *la existencia*.

> En tus destellos de esclarecimiento,
> descubres lo maravilloso
> que eres en realidad.

Es una práctica sencilla y poderosa que puede trasformarnos a nosotros y trasformar todas las relaciones que tenemos.

Una de las perspectivas desde la que podemos considerar la esencia de la magia es la siguiente: el enfoque mágico implica hallar la sencilla clave —la acción breve, poderosa y efectiva— que resuelve los problemas rápidamente y hace que la vida sea mucho más agradable de inmediato, en este momento.

El sendero mágico es uno de los senderos más sencillos de todos, y buena parte de él consiste solamente en encontrar las frases adecuadas para repetirnos a nosotros mismos. Es tan simple como eso. No neguemos su poder únicamente por su simplicidad. Una afirmación, un mantra o una oración, programa nuestro ilimitado subconsciente. Puede influir sobre todas las áreas de nuestra vida, inclusive nuestras relaciones.

Nuestra mente disfruta complicando las cosas. En nuestras relaciones íntimas y de trabajo, por ejemplo, podríamos realizar un estudio minucioso acerca de cómo mejorarlas. Podríamos leer montones de libros, realizar toda clase de cursos (muchos de los cuales estarían en conflicto o se contradirían entre sí) y pasar horas en Internet buscando soluciones a nuestros problemas relacionales en casa y en el trabajo. Todo esto puede ser muy útil, pero también supone mucho tiempo.

El enfoque mágico requiere de mucho menos tiempo. Por citar las palabras de Ella Wheeler Wilcox, *domina el tiempo, conquista el espacio, intimida esa Oportunidad jactanciosa y tramposa, declara la tirana Circunstancia no coronada, y ocupa el lugar de un sirviente.*

El sendero mágico puede ser un atajo poderoso para crear la vida de nuestros sueños.

Todo es cuestión de relaciones

Constantemente nos relacionamos con otras personas, tanto si estamos físicamente cerca de otros como si no. Generalmente nos relacionamos con la naturaleza y también con nuestro espíritu. Nos relacionamos con todo el cosmos, el inmenso campo cuántico, tan sólo porque formamos parte de él. No somos seres aislados, sino que vivimos en constante interacción con todo lo que nos rodea.

> **Debajo del plano de las apariencias físicas**
> **y las formas separadas,**
> **eres uno con todo lo que existe.**
>
> ECKHART TOLLE, *El poder del ahora*

Todo lo que se creó en el universo entero implica un gran número de asociaciones. Ya sea la combinación de los elementos simples que salieron desprendidos de la explosión de una estrella, o los billones de células de nuestro cuerpo que funcionan conjuntamente en perfecta armonía, o un artista o empresario que expone su trabajo al mundo y logra crear algo de éxito, todo es cuestión de relaciones saludables y funcionales.

La sencilla y eficaz clave mágica para tener buenas relaciones es algo que, sin lugar a dudas, has escuchado repetidas veces, tanto que casi se ha convertido en un cliché. Sin embargo, la has escuchado tantas veces porque es sumamente clara y poderosa: la clave es crear alianzas en la que todos ganan.

> Haz que todas tus relaciones sean una alianza en la que todos ganan
> y se respetan mutuamente.
> Ésta es la clave mágica para alcanzar el éxito
> y llevar una vida satisfactoria.

¿Cómo lo hacemos? Es un gran desafío para todos nosotros. En este curso, con las herramientas de este libro, podemos forjar de manera mágica relaciones satisfactorias del mismo modo que creamos de forma mágica cualquier otra cosa: primero lo hacemos en nuestro mundo interior de la imaginación. Una vez nuestro interior está en las condiciones adecuadas, el exterior se hace cargo de sí mismo.

Empezamos visualizando lo que queremos, imaginándolo con la mayor claridad posible. Seguimos concentrándonos en ello y afirmamos su existencia mediante el poder de la atención de nuestros pensamientos y palabras.

> Utilizamos una de las formas mágicas más sencillas que existe:
> afirmamos su existencia mediante el poder de la palabra oral.

Hallar la afirmación correcta hará que todas las relaciones de tu vida sean completamente perfectas.

Riane Eisler escribió un libro fantástico que lleva por título *The Power of Partnership* («El poder de la alianza»). En él nos da una lupa para observar todas las relaciones primordiales que tenemos en nuestra vida y nos pide que analicemos si se trata de alianzas basadas en el respeto, o si se trata de relaciones en las que existe una clase de dominación y explotación, caracterizadas por el miedo y la necesidad de ejercer el control en esa relación.

La gran dificultad a la que nos enfrentamos todos radica en crear alianzas en las que todos ganen en cada una de estas áreas. Vamos a examinarlas una por una para ver cómo podemos conseguir relaciones maravillosas de forma simple, fácil y con magia pura.

La primera área que Riane Eisler nos pide observar es, en mi opinión, brillante e innovadora:

La relación con uno mismo

Pregúntate: ¿qué relación tienes contigo mismo? ¿Es una relación buena, divertida, en la que te brindas apoyo, o tienes un crítico interior o un padre acusador que te está haciendo daño y socavando tus sueños? ¿Qué imagen tienes de ti mismo? ¿Eres un soñador y un mago sano y creativo, o hay alguna parte de ti que te está saboteando?

Todos tenemos críticos internos que ejercen una función muy valiosa, pues nos proporcionan una forma esencial de orientación y sabiduría. Pero también pueden pasarse de la raya y ser autoritarios. Debemos exponerles con claridad nuestro verdadero yo, y descubrir cómo cooperar con ellos de manera creativa, para que apoyen nuestros sueños y objetivos. Nuestro crítico interior puede ser un gran aliado, no un enemigo. Pero debemos abordar a ese crítico con firmeza; no podemos permitirle que destierre y destruya al soñador, visionario y mago que también tenemos en nuestro interior.

Imagina que, mediante el poder de tus ideas creativas, puedes llevar a tus críticos y padres internos a una mesa de negociaciones y conseguir que formen parte de tu equipo y que apoyen plenamente tus sueños y objetivos. Pueden ser aliados poderosos: tienen un conocimiento perspicaz sobre los pasos que debemos dar y los que es mejor evitar.

Afirma algo similar a (expresado con tus propias palabras):

Soy suficiente.
Tengo todo lo que necesito
para disfrutar el aquí y el ahora.
Cada día, en todos los aspectos,
estoy cada vez mejor.

Debemos ser tan dulces con nosotros y tan capaces de aceptarnos como queremos serlo con nuestros hijos, amantes y mejores amigos. ¿Acaso no queremos alentar a nuestros hijos y amigos a ser todo lo que pueden llegar a ser? Queremos que sean felices, estén sanos y satisfechos. Date a ti mismo la misma clase de ánimo inquebrantable.

Repítete de forma convincente: ¡Tú puedes! Puedes crear la vida de tus sueños como por arte de magia. No es tan complicado ni complejo. Todo empieza en tu interior, en tus sueños, en tu imaginación. Recuerda cómo lo resumió Eckhart Tolle en *El poder del ahora*:

Si tu interior está bien, tu exterior estará en orden.

Que así sea. Así es.

¿Realmente puede ser tan sencillo? Sin lugar a dudas.

Una clave mágica para tener una relación perfecta contigo mismo (y con cualquier otra persona u cosa) fue la que nos brindó William Whitecloud en su libro *The Magician's Way*:

La atención crea nuestra realidad.

Esta frase resume de manera brillante que nuestra atención crea nuestra realidad, por lo que conviene que nos centremos en ser personas prósperas, capaces y poderosas que tienen relaciones maravillosas con todos a lo largo del camino.

Afirma algo similar a:

> Soy un visionario, un mago;
> en estos momentos estoy creando
> la vida de mis sueños,
> de forma sencilla, apacible,
> saludable y positiva,
> en su momento idóneo
> y para el mayor beneficio de todos.

No subestimes el poder de estas afirmaciones. Si estas palabras no te funcionan, busca otras que sean más adecuadas para ti.

Las relaciones íntimas y familiares

Todo se reduce a algo muy simple, ¿no es cierto? *Nuestra atención crea nuestra realidad, de modo que, si conseguimos que nuestro interior esté en las condiciones adecuadas y nos centramos en él, el exterior se hará cargo de sí mismo.* Esta frase vale para todas las relaciones que tenemos, entre ellas las relaciones íntimas y las familiares.

¿Cómo conseguimos que nuestro interior esté en las condiciones adecuadas? Una manera de conseguirlo es mediante la sencilla práctica mágica de visualizar o imaginar una alianza maravillosa con aquellas personas a las que amamos, en la que nos apoyamos plenamente entre nosotros y nos amamos profundamente en cada momento de nuestra vida.

Sigue visualizando, sigue imaginando, sigue centrándote en tus relaciones íntimas y perfectas. Aléjate de las dudas, las preocupaciones y los temores. Deja de infundirles tu energía. En su lugar, concéntrate en lo que realmente quieres en la vida. *Tu atención crea tu realidad.* Afirma que esto se está manifestando en tu vida. Afirma algo similar a:

> Mi matrimonio y mi vida familiar están llenos de gracia,
> facilidad y ligereza.

Sé que algunos críticos internos quizás estén pensando: «¿Eso es todo? ¿Solamente el hecho de mascullar esta corta frase una y otra vez cambiará supuestamente nuestras relaciones fracasadas? ¡Ja!»

No dejes que un crítico interno equivocado te desvíe de tu ruta. No dejes que tus dudas y temores puedan contigo. Solamente sigue mascullando algunas de estas frases cortas una y otra vez durante un tiempo, y espera a ver qué ocurre. Tal vez sea una diminuta coincidencia que te resulta de gran ayuda, o un auténtico milagro mágico que se deja caer directamente en tu vida y lo cambia todo.

No te dejes engañar por la simplicidad de estas herramientas: han demostrado funcionar una y otra vez. Nos facilitan un atajo hacia el éxito e incluso la autorrealización. Advertimos lo milagrosa que es la existencia.

Examina a fondo y con sinceridad tus relaciones íntimas y familiares. ¿Son estresantes? ¿Agradables? ¿Por lo general, felices y satisfactorias? ¿Son alianzas sin complicaciones, en las que todos ganan, o hay alguna clase de dominación o explotación?

¿Hay alguna necesidad de controlar a los demás? ¿O rige el respeto por todos? Ésta es la clave fundamental de las buenas relaciones: el *respeto.* ¿Todos tienen la misma voz en los asuntos? ¿Se reconoce el amor de algún modo?

Hace años escribí estas palabras, las imprimí con letra grande y las colgué en un lugar destacado de nuestro hogar:

> ¿Cuál es el propósito de una familia?
> Protegerse y apoyarse entre sí,
> formar una alianza,

respetarse, amarse y escucharse mutuamente.
Animarse entre sí a ser felices y estar sanos,
y ayudarnos a todos a alcanzar
nuestros sueños más importantes.

Que así sea. Así es.

Puesto que la atención crea la realidad, debes centrarte en crear una alianza afectuosa y de apoyo con todos los miembros de tu familia. Busca una afirmación que tenga el mismo efecto y poder sobre ti que el que tuvo la siguiente afirmación sobre mí:

Mi matrimonio y mi vida familiar están llenos de gracia,
facilidad y ligereza.
Que así sea. Así es.

Las relaciones de trabajo

Una clave excelente para forjar relaciones de trabajo que sean maravillosas se halla en una de las historias milagrosas del capítulo 2. Al comienzo de su vida profesional, y durante los maravillosos treinta años que duró, una mujer no dejó de afirmar:

Hago una labor maravillosa
de una forma maravillosa
con personas maravillosas
para obtener una recompensa maravillosa.

Estas palabras estimularon y empoderaron algo profundo en su subconsciente. Tuvo la inspiración de iniciar su propio negocio, que consistió en reunir y vender objetos que amaba, y terminó realizando una labor maravillosa, de una forma maravillosa, con personas maravillosas y para obtener una recompensa maravillosa.

Me gusta la palabra «maravillosa» porque su significado contiene maravillas, magia. Pero tal vez prefieras otras palabras, por supuesto. Busca las que sean adecuadas para ti.

Como con todas las demás relaciones de la vida, la clave para tener un lugar de trabajo maravilloso consiste en forjar relaciones en las que todos ganen. Todos formáis parte del mismo equipo. Todos tenéis los mismos objetivos. Vuestro lugar de trabajo es donde se cumplen vuestros sueños y objetivos.

He aquí una manera de expresar esta clave mágica:

> Tu atención crea la realidad.
> Céntrate en crear relaciones laborales agradables
> en las que todos ganen.

Afirma y repite algo similar (halla las palabras adecuadas para ti):

> Trabajo con personas maravillosas,
> de una forma maravillosa,
> hago lo que me gusta
> con gracia, facilidad y ligereza.
> Cada día, en todos los aspectos,
> estamos cada vez mejor.

Podemos expresar esta magnífica clave de una forma que todos hemos escuchado muchas veces con anterioridad, para que nos ayude a alcanzar de forma mágica nuestros sueños y objetivos, fácilmente y sin esfuerzo. Existe un muy buen motivo por el que se denomina Regla de Oro:

> Trata a los demás como querrías
> que te trataran a ti.

¿Qué quieres de las personas con las que trabajas? Quieres respeto. Quieres que te brinden su apoyo a la hora de alcanzar tus sueños.

Quieres el éxito, sea como sea que lo definas. Quieres una buena parte de los beneficios. Quieres ayudar a los demás. Quieres hacer algo para que este mundo sea un lugar mejor en el que vivir.

Cuando ayudas a otros a alcanzar sus sueños, ellos también te ayudan a alcanzar los tuyos.

Si eres un empleador, trata a tus empleados como te gustaría que te trataran a ti. Respétalos. Anímales a soñar y ayúdales a alcanzar sus sueños. Comparte con ellos el éxito de tu empresa. Dales una buena parte de los beneficios (y te ayudarán a lograr beneficios mucho mayores). Ayúdales a hacer algo para que este mundo sea un lugar mejor en el que vivir.

En cualquier situación laboral que tengas, la clave mágica consiste en trabajar en alianza con todos con los que interaccionas a lo largo del día, ya sean empleados, clientes, proveedores o el personal de servicio. El auténtico éxito duradero se basa en relaciones en las que todos ganan.

Cualquier clase de dominio o explotación produce inevitablemente más problemas de los que resuelve. Al mundo entero se le ha dado un líder y maestro, una luz a seguir, que ciertamente sabía esta magnífica clave y la expresó con una sencillez exquisita:

Amaos unos a otros como yo os he amado.

JESÚS

Ésta es la clave para tener un éxito duradero y una vida llena de gracia, facilidad y ligereza.

Las relaciones con la comunidad

¿Cooperamos con nuestros vecinos y los miembros de nuestra comunidad? ¿Cómo hallamos las soluciones creativas que respetan a las personas y el entorno de la comunidad? ¿Todos gozan de respeto, todos tienen voz en los asuntos? ¿Cómo pueden nuestras empresas brindar más apoyo a las comunidades en las que se hallan inseridas?

Cada vez se están forjando alianzas más creativas en el plano comunitario que abordan los problemas comunes. La cooperación es una clave evidente para resolver estos problemas.

He aquí una manera de expresar esta clave:

Tu atención crea la realidad.
Céntrate en crear alianzas pacíficas
y satisfactorias con los miembros de tu comunidad.

Afirma y repite algo similar (halla las palabras adecuadas para ti):

Participo activamente en mi comunidad que trabaja para el mayor
beneficio de todos con gracia, facilidad y ligereza.

Que así sea. Así es.

Nuestra comunidad nacional

¿Hacemos todo lo que podemos para forjar relaciones fluidas con todos aquellos con los que compartimos nuestro magnífico país? ¿Tenemos una buena relación con nuestro gobierno? Nuestro gobierno, fundado por visionarios, ha sido en algunos aspectos una pareja visionaria, y en otros sigue explotándonos y dominándonos. ¿En qué ámbitos sigue dominando y en qué otros actúa como si formara una alianza con nosotros? ¿Cómo podemos convertir el actual sistema en uno en el que haya más alianzas con todos los implicados?

Tenemos incontables dificultades ante nosotros, y eso significa abundantes oportunidades, beneficios y obsequios *para todos noso-*

tros. Somos una gran familia nacional. En demasiados aspectos somos una familia disfuncional, pero la clave simple y mágica para superarlo es aceptar, con la mayor gracia posible, las inevitables diferencias existentes entre nosotros y comprender que debemos cooperar mutuamente a pesar de ellas.

Debemos cooperar con creatividad para alcanzar nuestros sueños y objetivos, y eso significa apoyar a los demás para que alcancen los suyos. Siempre habrá distintos puntos de vista, opiniones de derechas y de izquierdas, conservadoras y liberales, de modo que la pregunta más desafiante para todos nosotros es: *¿Cómo podemos cooperar entre nosotros para alcanzar nuestros objetivos comunes, e incluso alcanzar los que son tan dispares entre nosotros?*

Cuando adoptamos una perspectiva más amplia, podemos ver que todos tenemos sueños y objetivos que se asemejan. Todos queremos que nos respeten. Todos queremos la vida, la libertad y la búsqueda de la felicidad, eso es evidente. De modo que la solución a tantos problemas, ya sean en el plano personal, local, nacional o internacional, estriba en sentarnos con los demás y preguntarnos cómo podemos ayudarnos unos a otros.

¿Cómo puedo ayudarte? ¿Cómo puedes ayudarme? ¿Cómo podemos ayudarnos a alcanzar nuestros sueños más importantes? Ésta es una buena pregunta que podemos hacernos todos. Cuando seamos capaces de responderla, seremos capaces de vivir en un entorno armonioso, pacífico y productivo.

He aquí una manera de expresar esta clave:

Tu atención crea la realidad.
Céntrate en vivir con libertad y valentía,
en apoyar la vida, la libertad, la búsqueda de la felicidad
y la realización de todos los individuos del país
y del mundo.

Afirma y repite algo similar (halla las palabras adecuadas para ti):

Vivo con libertad en una tierra de personas libres.
Mi labor y mi vida respaldan la vida, la libertad y la búsqueda de la
felicidad y la realización de todos.

Que así sea. ¡Así es!

Nuestra comunidad internacional

No sólo somos una familia nacional que coopera entre sí de manera unitaria para construir un gran país, sino que también somos una familia internacional que comparte un pequeño planeta. Tenemos que comprender lo siguiente: estamos pegados unos a otros y todos formamos una gran familia disfuncional, de modo que lo mejor que podemos hacer es aprender a vivir los unos con los otros sin matarnos entre nosotros, sino amándonos y respetándonos. Cada uno de nosotros tiene derecho a estar aquí, y todos tenemos derecho a expresar nuestro punto de vista.

¿Cuán prósperas son nuestras alianzas con los demás gobiernos y ciudadanos del mundo? ¿Con qué países es socio nuestro país y con qué otros sigue ejerciendo un papel dominante en el plano mundial? ¿Qué podemos hacer para que las acciones de nuestro país estén más estrechamente asociadas con las acciones de otros países? ¿De qué podemos convencer a nuestro gobierno? ¿Cómo podemos ayudar a que hagan algo nuestras empresas multinacionales? ¿Cómo podemos cooperar con nuestro gobierno y con nuestras grandes empresas multinacionales? ¿Qué podemos hacer a nivel personal para vivir de forma más cooperativa con los demás habitantes del mundo?

Hay muchas respuestas a estas preguntas, y estas respuestas no sólo encierran grandes dificultades, sino también grandes oportunidades, beneficios y obsequios para todos.

Einstein estaba en su nivel habitual de brillantez cuando dijo:

No podemos resolver los problemas importantes pensando de la misma manera que cuando los creamos.

Esta frase contiene una gran sabiduría, una que afecta a todas las relaciones que tenemos. A nivel nacional e internacional, nos hemos polarizado; hay tipos buenos y tipos malos, liberales y conservadores, cristianos y musulmanes, amigos y enemigos... Esta división ha llevado a la demonización de los demás y ha provocado un gran número de problemas, que a su vez han provocado incontables conflictos.

Einstein estaba en lo cierto: no podemos resolver nuestros problemas desde el mismo plano de división que cuando se crearon; tenemos que adoptar una perspectiva superior, una que nos permita hablarnos unos a otros con respeto. En este nivel superior de pensamiento, nos damos cuenta de que todos queremos, en última instancia, las mismas cosas: todos queremos paz, prosperidad y libertad para ser nosotros. Todos queremos que nos respeten. Todos queremos que se honren y protejan nuestros derechos humanos. ¿Acaso no es eso lo que quieres? ¿No quieres eso para tus hijos?

La única forma de resolver nuestros problemas a nivel nacional e internacional es cooperando con *todos*. Para ello, debemos vernos como lo que realmente somos: miembros de la misma familia humana. Todos somos hermanos y hermanas, tanto en el plano genético como espiritual. Jesucristo nos dijo exactamente cómo alcanzar este nivel superior de conciencia en términos inequívocos:

Ama a tus enemigos.

En una ocasión vi un magnífico adhesivo para el parachoques que decía: «Ama a tus enemigos. Les volverá locos. Les conducirá a la locura».

Por lo menos intentémoslo y veamos qué sucede. Un gran número de personas ya coopera con toda la humanidad, y cuando lo hacemos, vemos resultados maravillosos, incluso mágicos.

Estamos empezando a ver que a lo largo de nuestra vida es posible crear un mundo adecuado para todos. He aquí una manera de expresar esta clave:

Tu atención crea la realidad.
Tienes el poder de hacer que este mundo
sea un lugar mejor para todos.

Afirma y repite algo similar (halla las palabras adecuadas para ti):

Vivo en un mundo donde reina la paz y donde todos
comparten la abundancia.
Contribuyo a que este mundo sea un mundo adecuado para todos,
donde todos los habitantes de esta tierra sagrada
tengan un hogar, alimentos y acceso a la salud y a la educación para
que puedan alcanzar sus mayores sueños.

Que así sea. Así es.

Nuestra relación con la naturaleza

Tenemos una alianza con nuestra Madre Tierra que no podemos ignorar; debemos tratarla con amor y respeto. ¿Estamos consumiendo demasiados recursos? ¿Estamos consumiendo los recursos adecuados? ¿Vivimos de manera sostenible, dentro de las posibilidades del ecosistema?

¿Qué clase de mundo queremos dejar a nuestros hijos, y a sus hijos, y a todas las generaciones que vendrán a continuación?

Tenemos y siempre hemos tenido una alianza maravillosa con la naturaleza. Nos ha dado mucho, incluso la vida misma, y tiene mucho más por ofrecernos, como la infinita abundancia y, todavía más importante, los secretos de una vida bien vivida.

He aquí una clave:

Tu atención crea la realidad.
Céntrate en vivir en perfecta armonía
con toda la naturaleza sagrada.

Afirma y repite algo similar (halla las palabras adecuadas para ti):

La naturaleza me enseña, me guía,
me muestra cómo vivir
y cómo comprender plenamente lo que soy,
tan poderoso como una montaña,
tan vivificante como el sol.

Nuestra relación con el espíritu

¿Estamos aliados con nuestro espíritu? ¿Somos plenamente conscientes de que tenemos una naturaleza espiritual así como también una naturaleza física, emocional y mental? ¿Reconocemos y respetamos nuestra faceta espiritual? ¿Permitimos que guíe nuestra vida? ¿Respetamos las decisiones espirituales que han tomado otros?

Éstas son las palabras que utilizo al principio de mi lista de objetivos formulados en clave de afirmaciones. Trata de repetir algo similar y observa qué ocurre:

El espíritu fluye a través de mí en todo momento
con su energía sanadora.
Me dejo guiar por él y cumplo la voluntad de Dios.
No opongo resistencia a la vida,
estoy en paz con lo que es,
lleno de gracia, facilidad y ligereza.
En todo momento siento mi Ser.
Eso es la ilustración.

Que así sea. Así es.

He aquí una forma de expresar esta clave para llevar una vida satisfactoria:

> Tu atención crea la realidad.
> Comprende quién eres, en realidad:
> eres un ser espiritual
> que vive una experiencia física.

Afirma y repite algo similar (halla las palabras adecuadas para ti):

> Me guía el espíritu en todo momento.
> Soy un ser de espíritu, amor y luz,
> ahora y para siempre.

Que así sea. Así es.

Una clave sencilla para tener relaciones satisfactorias

Vamos a revisar y resumir todo el capítulo: para hacer realidad la vida de nuestros sueños, tenemos que aplicar el modelo de la alianza en todas nuestras relaciones. Hay una clave sencilla que puede guiarnos cada día en todos los aspectos:

> Ámate y sírvete a ti mismo, y ama y sirve a los demás,
> cada día, en todos los aspectos.

Repítelo unas cuantas miles de veces durante los siguientes meses y observa qué ocurre. Los milagros acontecerán uno tras otro.

9

Eres el Árbol de la Vida

¡El fin de todo conocimiento es amar, amar y amar!
RAMANA MAHARSHI

No seas impaciente con el retraso,
sino espera como alguien que comprende;
cuando el espíritu se alza y se pone al mando,
los dioses están listos para obedecer.

ELLA WHEELER WILCOX (cuyas palabras cita James Allen en
Como un hombre piensa, así es su vida)

El mundo y todo lo que hay en él son creaciones mágicas. Uno puede decir que es un milagro que exista todo esto. No es una religión en la que tengamos que creer, ni tampoco una filosofía que no tenga ninguna relevancia en nuestra vida cotidiana, sino simplemente lo que es. Nuestros científicos más notables han llegado a las mismas conclusiones que nuestros místicos. Volvamos a echar un vistazo a la brillante sabiduría de Einstein que hemos visto antes:

Sólo hay dos maneras de vivir la vida:
la primera es pensar que nada es un milagro.
y la otra es pensar que todo es un milagro.
Yo escojo la segunda.

Nosotros escogemos cómo vemos el mundo y nos vemos a nosotros mismos. Normalmente nuestra elección es inconsciente, pero podemos elegir tomar decisiones de manera consciente. Podemos elegir ver el mundo como un lugar compuesto de infinitos conjuntos de milagros. Podemos elegir vernos a nosotros mismos como individuos capaces y creativos; en realidad, capaces de crear milagros. La decisión es nuestra.

Obsérvate con honestidad. ¿Eres una víctima desafortunada, a merced de fuerzas que escapan a tu control? ¿O eres un creador, capaz de moldear el mundo mediante la fuerza de tu entendimiento y voluntad?

La decisión depende de ti, y optar por la segunda opción se acerca mucho más a la realidad de quién eres que la primera opción. Parafraseando a Hamlet: «Hay más cosas en el cielo y en la tierra de lo que imaginan tus filósofos». Y somos mucho más formidables de lo que cualquiera de nosotros puede alcanzar a comprender plenamente. Somos uno con la totalidad del infinito cosmos creativo, capaces de evocar y poner en movimiento las grandes fuerzas.

Ya hemos descubierto muchas maneras de poner en funcionamiento estas fuerzas, siendo otra de ellas el hecho de reflexionar sobre la Cábala.

Reflexiones sobre la Cábala

Como con muchas de las tradiciones mágicas occidentales, al principio la Cábala parece infinitamente larga y compleja. Un gran número de personas han dedicado toda su vida a estudiarla y han profundizado mucho más que yo. Pero no ando en busca de un conocimiento erudito sobre la misma. Busco herramientas sencillas y eficaces, conocimientos y prácticas que cambien mi vida y mi mundo en un breve período de tiempo. Busco el atajo, y lo he hallado en muchos lugares: la Cábala es uno de ellos.

La Cábala contiene grandes verdades sobre la fuerza y el curso de la creación mágica. Parte de lo que sigue a continuación proviene de *El árbol de la vida* de Israel Regardie (a quien le doy un sincero agradecimiento por su obra).

La Cábala estudia el Árbol de la Vida con sus diez numeraciones o *Sefirot*. El Árbol de la Vida es un mapa de la creación del cosmos, de nuestro cuerpo físico y de cualquier cosa que deseemos. Empezamos reflexionando sobre las raíces del árbol, que en un sentido está invertido porque las raíces del Árbol de la Vida están en el cielo. La fuente de la creación son los reinos superiores del espíritu.

He aquí una enseñanza esencial de la Cábala:

> Toda la creación empieza con un impulso espiritual,
> que luego se convierte en un pensamiento,
> y más adelante en una emoción.
> Cuando la mente se concentra en ese pensamiento
> y esa emoción,
> el resultado es la creación física.

La Cábala empieza con la historia de la creación:

Al principio había el interminable vacío, la infinidad pura y brillante, simbolizada por el número cero. Entonces acontece el primer milagro: aparece el Uno, un punto o foco dentro de ese espacio infinito.

Es el primer *Sefirot*, la Corona: la Unidad, el infinito, el nivel superior de conciencia.

O

Entonces acontece otro milagro maravilloso de la creación: el Uno se convierte en el Dos. Aparecen así el segundo y el tercer *Sefirot,* el Padre y la Madre.

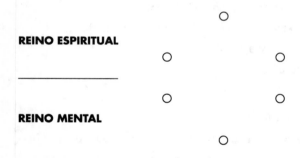

Todo esto tiene lugar en los niveles espirituales superiores, en el espíritu puro, en formas muy sutiles que escapan a toda descripción posible, en el cielo, donde el Árbol de la Vida tiene sus raíces, su fuente infinita.

El impulso creativo se refleja entonces en un plano más denso, un plano que podemos describir y experimentar, porque es el plano del pensamiento, el reino mental. Refleja tanto el nivel espiritual superior del Uno, como la escisión del Uno en Dos, el macho y la hembra. Y ahora hay seis *Sefirot…*

REINO ESPIRITUAL

REINO MENTAL

Cuando la creación es un pensamiento, tiene una energía lo bastante poderosa como para convertirse en una emoción y reflejarse en un plano todavía más denso. La creación se convierte en un sentimiento, un deseo. De nuevo, el reflejo contiene tanto el punto Uno en el centro, como su escisión en Dos, a izquierda y derecha…

REINO ESPIRITUAL

_____

REINO MENTAL

_____

REINO EMOCIONAL

Y hay nueve *Sefirot.* Entonces, cuando el espíritu se convierte en un pensamiento dirigido, y éste se convierte en una emoción dirigida, la energía de la creación puede descender por el centro del Pilar Medio, sin que el hecho de moverse a izquierda o derecha le impida seguir su curso. Cuando esto sucede, cuando los pensamientos cuentan con el respaldo de sensaciones positivas inquebrantables, se manifiesta el plano material, el plano físico que podemos ver, tocar y sentir, simbolizado por el décimo *Sefirot:*

REINO ESPIRITUAL

_____

REINO MENTAL

_____

REINO EMOCIONAL

_____

CREACIÓN FÍSICA

El décimo *Sefirot* es el reino de la creación física. Todo empieza con el espíritu, luego se convierte en un pensamiento dirigido, luego en una sensación, un deseo, y finalmente aparece en la realidad física.

El Árbol de la Vida está compuesto por tres pilares poderosos. A la izquierda está el pilar femenino, la presencia femenina divina que hay en toda la creación. A la derecha está el pilar masculino, la presencia masculina divina que hay en toda la creación. Y en el centro está el Pilar Medio, donde se combinan los poderes de la hembra y el macho en perfecta armonía y resultan en la creación física.

Hay un gran símbolo, un símbolo tanto para un planeta como para un género, que conecta y unifica todas las partes del Árbol de la Vida, un símbolo que trasciende todo, un poder, una energía que contiene la totalidad de la fuerza de la creación y que es la clave del misterio de la vida. ¿Puedes verlo?

Observa el décimo *Sefirot*. ¿Puedes ver cómo los seis de arriba forman un círculo? Traza un círculo que conecte los seis de arriba. Luego, desde el sexto *Sefirot*, traza una línea recta que pase por el noveno y el décimo. A continuación, traza una línea horizontal del séptimo al octavo *Sefirot*.

Has trazado el símbolo de Venus, el símbolo de la mujer, el símbolo del poder de la creación, el símbolo del poder del amor. *El fin de todo conocimiento es el amor.*

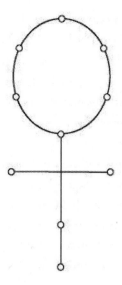

Te proporciono una nueva ley:
Amaos unos a otros como yo os he amado.

JESÚS

Lecciones de la Cábala

¿Qué significa todo esto? ¿Realmente hay un poder mágico en el estudio de estas diez numeraciones que simbolizan varias cosas? ¿Qué podemos aprender de esto de tal manera que afecte a nuestra vida y nuestro mundo?

La Cábala nos proporciona un mapa del proceso de la creación con un sencillo diagrama. Toda la creación tiene una fuente espiritual, porque todo comienza con un impulso espiritual. La única fuente espiritual de toda la creación se parte en dos, la izquierda y la derecha, el macho y la hembra. Estos dos puntos se tornan más densos hasta convertirse en el pensamiento, y luego se densifican todavía más y se convierten en la emoción.

Tanto el pensamiento como la emoción empiezan en la etapa de la dualidad, donde hay izquierda y derecha, hembra y macho. Sin embargo, para que la creación se manifieste, tanto el pensamiento como la emoción deben estar dirigidos y ser únicos. Entonces la energía desciende claramente por el centro, el Pilar Medio del Árbol de la Vida, pasando por el espíritu, el pensamiento, la emoción y finalmente la forma física.

Una clave para cualquier clase de creación: nuestros pensamientos deben estar dirigidos, no vagando hacia la izquierda o la derecha, ya sea hacia las zonas oscuras de las dudas y los temores, o hacia las zonas más claras y brillantes en las que consideramos otras alternativas o nos distraemos de otras maneras.

Es natural que primero vaguemos y exploremos distintas ideas, distintos caminos posibles, pero a fin de crear algo, nuestro pensamiento tiene que concentrarse en una sola idea poderosa.

> Regresa en todo momento a tu pensamiento dirigido.
> Tu atención crea la realidad.

Lo mismo vale para el plano emocional. En cuanto decidimos crear algo, surgen numerosas sensaciones, tanto buenas como malas. Es natural que aparezca ansiedad. Cuanto más grandes sean nuestros sueños, más dudas y temores nos asaltarán. A fin de crear algo, nuestras emociones tienen que estar dirigidas, igual que nuestros pensamientos.

Y la emoción más grande, la que tiene más capacidad de dirigir nuestros pensamientos y sueños, es la emoción del amor.

> Céntrate en tus sueños con amor,
> y pronto se manifestarán.
> Antes que tarde, te hallarás viviendo en un mundo
> que tan sólo hace unos años era
> un sueño imaginario.

Vuelve a observar el dibujo del Árbol de la Vida y contémplalo como si fuera un mapa de los posibles senderos que puede tomar la energía. Justo debajo del centro está el Pilar Medio. Ya nos han dado esta magnífica clave para la creación mágica: cuando nuestro impulso espiritual se convierte en un pensamiento dirigido, y no se distrae a la derecha ni a la izquierda, la energía fluye fácilmente y sin esfuerzo del espíritu al pensamiento, la emoción y la manifestación física.

Sigue concentrado en tu sueño. No dejes que tus pensamientos vaguen demasiado tiempo entre dudas y vacilaciones; no dejes que tus sensaciones vaguen demasiado tiempo entre temores y ansiedades. Sigue concentrado en la idea de tu sueño, tu objetivo, tu deseo… sea lo que sea que quieras manifestar en tu vida. Sigue llenando esos pensamientos de amor, de todo el amor que seas capaz de dar en el momento.

Recuerda quién eres realmente y acuérdate de sentir tu Presencia, tu Ser. Estás suspendido en un campo vibrante de luz. Eres esa luz. La luz es vida. La luz es amor.

Inspira hondo y deja ir todos los pensamientos…
Inspira hondo otra vez y siente la luz de tu Presencia…
Siente el océano de tu Ser…
Estás suspendido en un campo vibrante de luz…
Eres esa luz…
Esa luz es vida…
Esa luz es amor.
Atrévete a soñar lo que quieres crear con amor.

Que así sea. ¡Así es!

10

Omnipotencia y eternidad (y otras cosas magníficas)

*Tengo la omnipotencia bajo mis órdenes
y la eternidad a mi disposición.*

ELIPHAS LÉVI

Eliphas Lévi fue un escritor y un mago francés del siglo XIX. (*Nota:* no he leído una sola palabra de Lévi, más que la frase que inicia este capítulo, que apareció en *Moonchild,* una novela de Aleister Crowley de cuya lectura disfruté de verdad, que trata sobre una batalla mágica entre las fuerzas de la luz y la oscuridad). Sus palabras mencionan y contienen la esencia de la magia. Vamos a leerlas pausadamente y a reflexionar un poco sobre ellas:

Tengo la omnipotencia bajo mis órdenes
y la eternidad a mi disposición.

La frase en sí misma es una herramienta poderosa en la mente de un mago. Es una afirmación, una declaración y una evocación. Las palabras tienen el poder de evocar las grandes fuerzas que traen a nuestra atención: la omnipotencia y la eternidad.

Omnipotencia

Omnipotencia: todo el poder. El poder de toda la creación. Está bajo nuestras órdenes. Tal y como lo expresa Ella Wheeler Wilcox:

> Cuando el espíritu se alza y se pone al mando,
> los dioses están listos para obedecer.

¿Cuál es la fuente de nuestra omnipotencia? A los que tuvimos una educación cristiana nos ofrecieron una manera sencilla de comprenderla cuando éramos niños: nos enseñaron que Dios es omnipotente, omnisciente y está omnipresente. Es todopoderoso, todo lo sabe y está presente en todas partes. Puesto que Dios está en todas partes, obviamente también está en cada átomo de cada célula de nuestro cuerpo. Somos parte de Dios.

El poder de Dios infunde todas las células de nuestro cuerpo así como también todos los átomos del universo. Somos un microcosmos que refleja todo el macrocosmos; somos una parte esencial de la creación que está eternamente conectada a la fuente y a la totalidad de la creación.

Tenemos la omnipresencia bajo nuestras órdenes; sólo tenemos que evocarla para darnos cuenta de que en todo momento estamos infundidos con la infinita energía creativa del universo.

Una antigua enseñanza de la India lo dice incluso con términos más sencillos:

> Tú eres eso.

Eres todo lo que existe. El microcosmos y el macrocosmos son uno. Eres uno con todo el universo, y estás lleno de la energía creativa de éste. Está a tu disposición, a tus órdenes, porque es tú y tú eres eso.

Eternidad

Tenemos un cuerpo físico y un cuerpo espiritual. El cuerpo físico muere, pero en nuestro cuerpo espiritual vivimos para siempre. Tenemos la eternidad a nuestra disposición. El Bhagavad Gita lo dejó muy claro hace cinco milenios:

Nunca hubo una época en la que no existieras,
y tampoco habrá nunca una época en la que no existas.

El mago de la baraja del Tarot tiene el símbolo de la eternidad sobre la cabeza. Esa imagen del mago es una imagen de nosotros mismos. Alzamos la mano derecha y evocamos las fuerzas creativas del universo; señalamos a la tierra con la mano izquierda y dirigimos la manifestación de nuestros sueños.

Tenemos sobre nosotros el símbolo de la eternidad: vivimos y crecemos eternamente, y cada vez estamos más despiertos y somos más poderosos y pacíficos.

Estamos evolucionando constantemente,
y, de manera consciente, podemos acelerar el proceso,
estar cada vez más despiertos
y ser más poderosos y pacíficos.

El poder de un altar

Las personas conocen el poder de los altares desde los orígenes de la humanidad. Coloca una o más fotografías que desees sobre tu altar, de cosas que te parezcan hermosas e inspiradoras. Halla una o varias imágenes que te recuerden lo que ya sabes: que eres una fuerza poderosa y creativa de la naturaleza, que primero imagina y luego manifiesta la vida de sus sueños.

Tu altar puede ser grande o pequeño. Puede tener una imagen o docenas de estatuas, fotografías, mandalas, velas, inciensos, baratijas, recuerdos, etc. Puede ser todo lo sencillo o elaborado que quieras.

Presta alguna clase de atención a tu altar con regularidad (o, si eres como yo, de forma bastante esporádica). Concibe tu propia manera de relacionarte con él. Reza ante las imágenes que hay en él o medita con ellas.

Cuando te relajas, cuando meditas, una opción que tienes es visualizar o imaginar tu altar interior, el altar que has creado en tu mente. Mi altar interior es inmenso y tiene muchísimas imágenes de numerosas tradiciones. (Lo mío es caldo espiritual, como habrás notado). Exploro mi altar, elijo la imagen que quiero recordar, me concentro en ella, rezo para ella o la evoco en el momento.

MEDITACIÓN DEL ALTAR INTERIOR
Halla un lugar en el que puedas estar tranquilo y a solas. Siéntate o túmbate de manera que estés cómodo. Desabróchate el cinturón y apaga el teléfono móvil.

Inspira hondo y, mientras espiras lentamente, relaja el cuerpo, desde la cabeza hasta los dedos de los pies…
Inspira hondo otra vez y, mientras espiras lentamente, relaja la mente y deja ir todos los pensamientos…
Inspira hondo otra vez y deja ir todo…
Relajarse profundamente sienta tan bien…
Siente tu presencia interior:
Siente que estás suspendido en un campo vibrante de luz…
Relájate y permítete flotar en un océano de luz, vida y amor…

Imagina que delante de ti hay un altar hermoso…
Quizás sólo tenga una imagen, o varias cosas dispuestas de forma agradable, o tal vez sea un altar largo que se extiende de izquierda a derecha, lleno de muchas estatuas e imágenes distintas…

Explora las diversas imágenes de tu altar y elige una en la que concentrarte. Reproduce esa imagen en tu mente con la mayor claridad posible…
Siente la energía que irradia de esa imagen…
Siente la conexión silenciosa que tienes con ella…

Estás evocando el poder y la gracia de la imagen que has elegido…
Deja que su poder y gracia llenen tu ser…
Permite que aparezcan en tu mente las palabras de una oración…

Lo que hagas a continuación está en tus manos. Puedes dialogar con la imagen que has evocado, puedes hacer preguntas y escuchar las respuestas, o puedes tener una comunión tranquila y silenciosa con esa imagen…

Tienes la omnipotencia a tus órdenes… Eres capaz de llevar a la esfera de tu conciencia la energía de las fuerzas creativas, divinas y primordiales del universo…

Ahora céntrate claramente en lo que quieres manifestar en tu vida. Pídelo. Reza por ello…
Siente el poder de la imagen delante de ti…
Deja que su poder y apoyo llene todas las células de tu cuerpo…

> Afirma que tus sueños se están haciendo realidad
> de forma sencilla, apacible,
> saludable y positiva,
> en su momento idóneo,
> para el beneficio de todos.

Esto, o algo mejor, se está manifestando en este momento para el mayor beneficio de todos…
Que así sea. Así es.

El poder de los amuletos y las oraciones impresas

Llevar un amuleto o rodearse de oraciones impresas también son poderosas herramientas mágicas que se han empleado durante miles de años en todo el mundo. Como todas las demás herramientas, nos ayudan a recordar; nos ayudan a grabar nuestras oraciones, deseos y sueños en nuestro subconsciente. Entonces empieza la magia de verdad.

Personas de muchas culturas hacen y llevan amuletos, algunos de ellos muy sencillos, otros muy elaborados. A algunos estudiosos de budismo tibetano les dan un amuleto que contiene un folio doblado muchas veces: es el grabado de un mandala, con Buda en el centro y rodeado de oraciones. La hoja de papel es de unos 65 cm^2, y está doblada y guardada en un recipiente de seda de unos 20 cm^2. Tiene un collar sencillo de una sola cadena que cuelga sobre el centro del pecho.

El hecho de llevar este amuleto es un recordatorio constante de que uno tiene la mente y la naturaleza de Buda: inmensa, omnímoda, eternamente ligera. Es un recordatorio de que uno es un ser ilustrado, un recordatorio de la naturaleza de su mente.

Los tibetanos ciertamente comprenden el poder de la palabra impresa. Se rodean con banderas de plegarias, *thankas* —dibujos de mandalas— y ruedas de plegarias grandes y pequeñas. En el Centro tibetano Nyingma de Berkeley, imprimimos miles y miles de plegarias sobre rollos largos de papel de unos 1,2 y 1,5 metros de ancho. En el sótano había varios tubos grandes, de unos diez centímetros, y enrollamos cada uno de ellos con capas y capas de oraciones (dedicando muchas horas a ello, siempre por la noche) hasta que el papel formó un cilindro de por lo menos de 60 cm. Motorizamos los cilindros para que giraran a máxima velocidad durante las 24 horas del día y mandaran millones y millones de oraciones al campo cuántico cada día.

En muchas ocasiones, la hoja de oraciones sólo está cubierta de una sola y magnífica oración:

Om Mani Padme Hum!

Om es el sonido individual del universo, el sonido que nos une con el campo cuántico. *Mani* es la joya de la felicidad que reside en nuestra mente. *Padme* es el loto de la conciencia, que asciende de la tierra para florecer en el sol. *Hum* es la sílaba que hace que todo suceda, y nos damos cuenta de que la joya de la felicidad es el loto de nuestra conciencia.

Otra práctica sencilla consiste en escribir tu propia oración repetidas veces en un folio de papel y colgarlo en la pared o llevarlo encima.

Durante años, he tenido un folio con las siguientes palabras colgado en la pared de mi oficina:

Alcanzo mis sueños
de forma sencilla, apacible,
saludable y positiva,
en su momento idóneo
y para el mayor beneficio de todos.
Esto, o algo mejor,
se está manifestando,
de formas completamente satisfactorias
y armoniosas
y para el mayor beneficio de todos.
Que así sea. ¡Así es!
Alcanzo mis sueños
de forma sencilla, apacible,
saludable y positiva,
en su momento idóneo
y para el mayor beneficio de todos,
rezo.
Esto, o algo mejor,
se está manifestando,
de formas completamente satisfactorias
y armoniosas
y para el mayor beneficio de todos.
Que así sea. ¡Así es!
Alcanzo mis sueños
de forma sencilla, apacible,
saludable y positiva,
en su momento idóneo

y para el mayor beneficio de todos.
Esto, o algo mejor,
se está manifestando,
de formas completamente satisfactorias
y armoniosas
y para el mayor beneficio de todos.
Que así sea. ¡Así es!
Estoy viviendo la vida de mis sueños,
de forma sencilla, apacible,
saludable y positiva,
en su momento idóneo,
y para el mayor beneficio de todos,
rezo.
Esto, o algo mejor,
se está manifestando,
de formas completamente satisfactorias
y armoniosas
y para el mayor beneficio de todos.
Que así sea. ¡Así es!

Halla los métodos que te resulten adecuados para no perder de vista tus sueños. Tienes infinidad de alternativas.

Hacer un hechizo para el amor

Numerosas tradiciones tienen hechizos para el amor, e incluyo éste sólo porque hace unos años hice un sencillo hechizo que, sin lugar a dudas, tuvo un efecto positivo sobre varias personas, entre ellas yo.

En una ocasión, deambulaba por las estanterías –los archivos– de una vieja biblioteca en la Universidad de Minnesota cuando encontré dos libros extraordinarios sobre la cultura gitana de Europa de principios de 1900. Uno de los libros estaba repleto de historias sobre sanadores gitanos que, con el uso de hierbas, oraciones y hechizos, solían curar enfermedades y dolencias que los médicos no habían logrado curar. Una de las historias trataba de un niño que era ciego de nacimiento y al que los médicos habían dicho que su ceguera sería para siempre. Sin embargo, una vieja mujer gitana logró que se curara después de lavarle los ojos y aplicarle en repetidas ocasiones un cataplasma de hierbas que hizo que recuperara totalmente la visión.

Los gitanos, los wiccanos —los que han practicado la wicca o alguna clase de brujería— y los indígenas de todo el mundo tienen poderosas tradiciones de sanación que emplean hierbas y otros ingredientes naturales. Personalmente, confío mucho más en las hierbas terapéuticas que en la medicina química. Las pocas veces en que he necesitado atención médica he ido a un médico chino que utiliza plantas y emplea la acupuntura, dos prácticas medicinales de demostrada eficacia de más de cinco milenios de antigüedad.

Las hierbas son auténticas, se han probado y apenas tienen efectos secundarios, si es que tienen alguno. Los medicamentos con receta médica son el resultado de avances tecnológicos relativamente nuevos, y los evito completamente. Pero estoy divagando; no estoy aquí para ofrecer ninguna clase de consejo médico. Lo que sí quiero es proponer, sin embargo, que cada uno es su mejor sanador. Confía en los procesos naturales de curación de tu cuerpo: la raza humana ha evolucionado durante varios millones de años, y el sistema de curación de nuestro cuerpo es poderoso, especialmente cuando estamos relajados, nos hemos quitado todo el estrés posible y dejamos que nuestros sistemas de curación hagan su magnífica labor.

El otro libro viejo que hallé en las estanterías de la biblioteca de Minnesota contenía varios hechizos trascritos de su idioma, el gitano, un idioma hermano del sánscrito y el latín. Uno de ellos era un hechizo para el amor.

Por entonces era joven y estaba soltero, así que lo copié en una hoja y la doblé. Al principio, sólo la llevaba encima, pero más adelante la puse en una pequeña bolsa hecha con un trozo de cinta ancha doblada y cosida. Añadí una gota de aceite de romero al papel y también le puse varias ramitas de romero. (En algunas tradiciones se dice que el romero tiene el poder de atraer a los amantes). Sin lugar a dudas, mi vida amorosa se volvió más enérgica cuando empecé a llevar ese hechizo.

Conocí a una mujer llamada Ginger, una madre soltera que estaba fascinada por la historia del hechizo para el amor: si uno se acerca a un sauce a media noche por Nochevieja y sacude el árbol mientras repite el canto —sacudiéndolo lo bastante fuerte como para que caigan algunas hojas, dando por hecho que está en un lugar con un clima suficientemente cálido como para que los sauces todavía tengan hojas en invierno—, un perro blanco ladrará y su verdadero amor acudirá a él. Antes de la próxima Nochevieja, estará casado y su matrimonio se habrá consumado.

Ginger se aprendió las palabras y a media noche de la siguiente Nochevieja se acercó a un sauce y lo sacudió mientras repetía el canto. Lo sacudió enérgicamente hasta que cayeron algunas hojas y luego se detuvo. Esperó un rato, pero no ocurrió nada.

Unas semanas después, se fue de picnic con su hija junto al sauce y vio un perro blanco que ladraba una y otra vez. Entonces, un hombre alto, moreno y atractivo llegó paseando hasta donde estaba ella y dijo: «¿Ginger?». Resultó que era un viejo amigo del instituto al que no había visto desde hacía años. Y antes de la siguiente Nochevieja, estaban casados y su matrimonio se había consumado.

He aquí las palabras, a las que hay que poner una música al ser cantadas. Yo les puse una música y añadí algunas palabras en inglés, una interpretación aproximada de las antiguas palabras originales de los gitanos.

UN HECHIZO PARA EL AMOR
Per de, per de prajtina
Varakaj heen has kamov
Baso paro dzui u klo
Perano dzal may dzigo

Nochevieja, un sauce,
¿dónde estará mi verdadero amor?
Sacudo el árbol, sacudo el árbol,
¿cuándo acudirá mi amor a mí?

Hay muchas tierras sobre la tierra,
a quien ame deberá ser mío.
Crece, crece, sauce.
¡Ninguna pena para ti!
¡Ninguna pena para mí!

A mi alrededor veo hojas esparcidas,
a quien ame deberá ser mío.
Ah, el perro blanco ladra al fin
y mi amor se acerca corriendo a toda prisa

Gracias, Señor, por haber conseguido
a mi amante con tus cantos de la antigüedad.
Antes de la próxima Nochevieja
me habré casado y mi matrimonio se habrá consumado.

Per de, per de prajtina
Varakaj heen has kamov
Baso paro dzui u klo
Perano dzal may dzigo

El poder de una estrella

La estrella de cinco puntas se ha asociado con varios tipos de magia durante miles de años. Representa el cuerpo de un hombre y una mujer: las cinco puntas son la cabeza, los brazos extendidos y las piernas abiertas.

La estrella es un mandala, una representación de todo el universo. Cada uno de nosotros es una estrella; cada uno de nosotros también refleja y representa la totalidad del universo.

La estrella de seis puntas, que suele asociarse con el judaísmo, también es un símbolo mágico poderoso. De alguna forma, contiene toda la Cábala, porque está compuesta de dos grandes triángulos equiláteros: uno con la base en la parte inferior, que representa toda la creación, y otro con la base en la parte superior, cuya energía irradia hacia abajo y representa el espíritu y la energía de todo el universo que infunde de luz y vida toda la creación y crea formas de la nada.

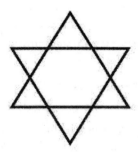

Se puede acceder al poder de una estrella mediante la meditación y la visualización, y también dibujando la estrella en una hoja de papel.

MEDITACIÓN ESTELAR

Inspira hondo, cierra los ojos y relájate...

Inspira hondo otra vez y, mientras espiras, deja ir todos los pensamientos...

Inspira hondo otra vez y, cuando espires, deja ir todo, de modo que flotes en un mar de luz, bañado por la luz de una estrella…

Ahora imagina que eres una estrella…
Imagina que, delante de ti, hay un campo de luz cálido y encendido: ¡una estrella!
Imagina que formas parte de esa luz. Siente cómo penetra y llena todas las células de tu cuerpo…
Siéntelo y reconoce que eso es lo que eres. ¡Eres una estrella!

Reproduce en tu mente una estrella centelleante delante de ti…
De ella salen brazos de luz radiante, cinco, seis o cualquier número de extensiones brillantes de luz radiante…
Deja que cada una de las partes de la estrella represente una parte de tu vida…

En la cima está tu conexión eterna con el espíritu.
Sumérgete en esa luz y afirma algo similar a:

> El espíritu fluye a través de mí en todo momento
> con su energía sanadora.
> Me dejo guiar por el espíritu en todo momento,
> cumpliendo la voluntad de Dios.
> Estoy en paz con la existencia
> lleno de gracia, facilidad y ligereza.
> En todo momento siento mi ser.
> Eso es la ilustración.

Siente cómo la luz de la parte superior de la estrella –la luz de Dios, la gracia, la creación, o cualquier nombre que le quieras dar– impregna cada célula de tu ser…

En las otras puntas de luz que irradian de tu estrella, coloca tus otros sueños, esperanzas y objetivos, y afirma que se están haciendo realidad…

No olvides la parte de la estrella radiante que trata sobre la familia y las amistades. Afirma algo similar a:

> Mi matrimonio, mi vida familiar y mis amistades
> están llenas de gracia, facilidad y ligereza.
> Que así sea. Así es.

Tal vez quieras hacer también un dibujo de una estrella y guardarlo en tu juego de instrumentos de mago. En cada punta de la estrella coloca tus sueños, objetivos, oraciones u afirmaciones. De un modo muy poderoso, estás acercando el poder creativo del universo a tus sueños y objetivos.

Que así sea. Así es.

Un minuto de yoga

Yoga significa 'unión'. Se asemeja al término *yugo*, aunque en el yoga nos reconciliamos con nuestra naturaleza espiritual. (La palabra *religión* es similar a *yoga*: probablemente la raíz sea la palabra latina *ligare*, que significa 'atar' o 'conectar'. Por medio de la religión volvemos a conectar con lo sagrado).

Puesto que soy sumamente vago, mis actividades de yoga son breves. Aun así, un minuto de yoga puede tener un gran impacto en nuestro día o noche.

Levántate, estira los brazos hacia arriba y haz un minuto de yoga, como un Saludo al Sol, o cualquier otro movimiento físico que te apetezca en ese momento.

Aunque tus ejercicios de yoga sólo sean los sencillos movimientos de siempre, con eso ya es suficiente.

Ahora, como dijo un maestro de la India,

Cierra los ojos y ve a Dios.

Finalmente,

Abre los ojos
y ve a Dios
en todas partes.

Omnipresente.
Omnisciente.
Omnipotente.

Presente en todas partes.
Todo lo sabe.
Todopoderoso.

Los días de la semana

De una forma profundamente hermosa, los nombres que hemos dado a los días de la semana encierran una magia y un poder arquetípicos. No dejes que tu mente racional te diga que sólo es una sandez arbitraria. Los días de la semana se nombraron según los cinco planetas conocidos hace miles de años, llamados así por los dioses y las diosas de Grecia y Roma. Forma parte del estudio de la astrología, del que algunas personas gozamos, entre las cuales me incluyo, mientras que otras personas creen que es una sandez (lo cual está bien: el estudio de la astrología ciertamente no es necesario). Johannes Kepler, una importante figura de nuestra revolución científica, lo expresó así:

A nadie le debería parecer increíble que de la insensatez y las blasfemias del astrólogo puedan haber surgido algunos conocimientos útiles y sagrados.

Ciertamente los nombres de los días de la semana encierran determinados conocimientos útiles y sagrados. Cada uno de ellos representa una fuerza sagrada distinta, y reflexionar sobre dicha fuerza a lo largo del día puede ser útil, incluso poderoso.

DOMINGO (*sunday* en inglés) se llama así por el Sol, por supuesto. Es un día perfecto para el rejuvenecimiento, para relajarse y para salir al exterior si el tiempo acompaña. Hay que tener un día de descanso durante la semana. ¡Incluso Dios necesitaba un día de descanso! Es un buen día para pasar con la familia y los amigos; es un día para estar alegre y risueño.

LUNES es el día de la Luna. En mi opinión, es el peor día de la semana para empezar la semana de trabajo. La Luna se relaciona con las emociones, y el lunes suele ser emocional, un magnífico día para la reflexión y la tranquilidad. Puede ser un día de grandes avances y descubrimientos intuitivos. Intenta trabajar lo menos posible. Por la tarde, date un baño con agua caliente. Observa la luna durante un rato. Tal vez tenga algunos mensajes para ti.

MARTES es el día de Marte. En inglés resulta interesante que algunos de los días de la semana llevan el nombre de diosas y dioses nórdicos o germánicos. El martes (*tuesday* en inglés) se llama así por el dios germánico Tiu. Las lenguas latinas utilizan nombres romanos; en francés es *mardi* y en italiano *martedi*: el día de Marte. ¡Éste sí es un buen día para empezar la semana de trabajo! Detrás de ti tienes el poder y la energía de Marte. Es un día magnífico para emprender acciones y poner en marcha ideas creativas, aunque cuando hay demasiada energía de Marte, demasiada testosterona, se debe evitar la tendencia de algunas personas a implicarse en conflictos.

Demasiada testosterona –un exceso de la energía de Marte– puede que sea la causa más importante de los principales problemas que aquejan al mundo. La agresión natural del macho debe equilibrarse con algunas energías más suaves, como la compasión y el amor. Cuando las energías de Marte y Venus obran a la vez, ocurre la creación mágica.

MIÉRCOLES es el día de Mercurio, aunque su nombre en inglés, *wednesday*, es por el dios germánico Odín (o Wotan). Es un día magnífico para la comunicación, las tareas mentales, los negocios, la escritura, las visitas y las reuniones.

JUEVES es el día de Júpiter, o el día de Thor en inglés (*thursday*). Es un día expansivo, un día de crecimiento, creatividad y encuentros positivos. Es un excelente día para las reuniones. (Siempre intento programar mis reuniones para los jueves o, en su defecto, para los miércoles, ¡pero nunca para los lunes!). Las personas suelen estar de buen humor los jueves.

VIERNES es el día de Venus. En inglés se llama *friday* por la diosa germánica Frigga, que es casi el equivalente de Venus. Es un día para celebrar lo femenino, la compasión y la visión de las mujeres. Ve a algún lugar hermoso. No es de extrañar que la noche de los viernes sea la noche de las citas. Este día pueden florecer las relaciones sentimentales. También es magnífico para la expresión creativa y la resolución de conflictos. Es un día de amor.

Llegará el día en que,
tras haber aprovechado el espacio,

los vientos, las mareas y la gravitación,
aprovecharemos para Dios las energías del amor.
Y, ese día, por segunda vez en
la historia del mundo,
habremos descubierto el fuego.

TEILHARD DE CHARDIN

SÁBADO es el día de Saturno. Igual que Júpiter está relacionado con la expansión, Saturno está asociado con la contracción. Es un buen día para terminar cosas y ocuparse de los detalles. Saturno también es el que rige Capricornio, el signo relacionado con la consecución y el dominio: es un buen día para recordar centrarnos en nuestros sueños y dar un paso más para convertirnos en maestros de nuestra vida.

Los meses del año

A lo largo de la semana, tenemos el ciclo de los días, mientras que a lo largo del año tenemos el ciclo de los meses. Cada uno de ellos tiene un antiguo nombre y signo astrológico con un profundo significado.

En un sentido muy práctico, el hecho de tener conocimiento de los distintos meses del año y los diferentes signos que representan, implica tener un conocimiento de las estaciones: la expansividad de la primavera y el verano, y la contracción del otoño y el invierno. Cada mes del año tiene su propio ritmo, alternando entre la energía yang, activa y masculina, y la energía yin, femenina y más reflexiva.

ENERO empieza con la celebración del Año Nuevo, y es una época de nuevos planes, nuevos comienzos. Es el mes de Capricornio, que rige el medio cielo, la décima casa astrológica, que se halla directa-

225

mente sobre nuestra cabeza, el zenit, la posición más elevada del Sol. Es el signo del maestro. Afila tu dominio: puede ser un mes de preparación y crecimiento que conduzca a logros sin apenas esfuerzo. Capricornio está regido por Saturno, que representa la sabiduría que aumenta con la edad.

Sin embargo, este crecimiento no se puede forzar. Estamos en mitad del invierno, una estación de calma y descanso. Es una época para hacer la planificación, la labor interna, que dará sus frutos más adelante.

FEBRERO es el invierno profundo, aunque la mayor parte del mes el Sol está en el signo de Acuario, el aguador, visionario y futurista. Puede ser un mes de nuevas ideas, sorpresas y luz en mitad de la oscuridad del invierno. Es un mes magnífico para expandir tus planes y sueños (¿estás soñando lo suficiente?).

MARZO es el final del invierno, el mes de Piscis. No es una buena época para forzar las cosas ni planear grandes resultados, sino que es más idónea para ahondar en el interior, relajarse y reflexionar. Este mes representa la trasfiguración profunda y misteriosa del invierno en la primavera. Piscis es el último signo, la culminación de todo el ciclo del año. Es el signo del conocimiento definitivo. Es el signo del místico, una época para la calma y el silencio, un período para descubrir la maravilla interna más profunda de todo.

Durante este mes no intentes hacer demasiadas actividades en el exterior. Lee y reflexiona. (Una obra sumamente recomendada para este mes es *El silencio habla* de Eckhart Tolle).

En **ABRIL** finalmente irrumpe la primavera, con su torrente de energía elevada y creativa. Es el verdadero Año Nuevo, porque la vida brota una vez más con todo su esplendor. Es el mes de Aries, una época magnífica para iniciar nuevos proyectos, probar nuevas ideas, salir al mundo, correr riesgos y dejar que se eleve el espíritu.

Este mes encierra una gran energía: Aries está regido por Marte. Atrévete a soñar ¡y ve a por ese sueño!

MAYO es el mes de Tauro, el toro. Deja que las cosas se ralenticen un poco. Busca un ritmo más profundo, más lento, un período para arraigarte, echar raíces, conectar con las poderosas energías vigorizantes de la Tierra. Es un mes para disponer el trabajo preliminar para llevar a cabo tu visión. Este mes encierra una gran belleza: Tauro está regido por Venus.

JUNIO es el mes de Géminis y, como abril, es otro mes de mucha energía. Regido por Mercurio, es un período idóneo para la comunicación, la escritura, la expresión de la propia visión, la realización de la propia labor en el mundo. Es un mes excelente para agudizar y utilizar con habilidad el poder de la mente. Es un mes magnífico para salir al mundo y materializar las cosas.

JULIO es el maravilloso pico del verano, el mes del signo de Cáncer. Está regido por la Luna y, durante este mes, la energía de las personas normalmente vuelve a calmarse tras el entusiasmo del mes de Géminis. Julio es una época estupenda para estar en casa, arraigarse, crecer. Es una época para buscar respuestas en el interior y reflexionar sobre la felicidad basal que hay en tu interior, más allá de tus pensamientos y sentimientos. Es un período para celebrar y apreciar tu hogar, a tu familia y la plenitud de la vida.

AGOSTO es el mes de Leo, regido por el Sol. La intensidad del Sol saca a las personas al exterior, y es una época magnífica para compartir, viajar, relacionarse, actuar. ¡Ponte en escena! Cumple tu sueño. Eres una estrella, así que deja que brille tu luz.

En **SEPTIEMBRE** el verano se retira y llega el otoño. El mes de Virgo está regido por Mercurio, y es una época maravillosa para poner en orden nuestro hogar, nuestro negocio y nuestra vida creativa, una época para organizar y, sobre todo, para amarse y estar al servicio tanto de uno mismo como de los demás, y recordar quiénes somos realmente y qué hemos venido a hacer.

OCTUBRE es el hermoso mes de Libra, regido por Venus. El otoño irrumpe con sus muchos colores; es una época de inspiración, de conectar con los demás, de copiosidad y esplendor, de crear belleza y armonía alrededor.

NOVIEMBRE es el mes de Escorpio. El invierno se cierne sobre nosotros, muchas veces de forma bastante repentina. Se hace de noche mucho más pronto. Escorpio tiene el poder de la picadura del escorpión cuando todavía no está desarrollado, la energía sanadora de la serpiente enrollada en la columna (simbolizada por el caduceo, el bastón de Mercurio) cuando ya está desarrollada, y la visión del águila cuando ya está desarrollada. Cuando medites durante este mes, podrás notar fácilmente la energía sanadora que asciende y desciende por la columna vertebral, y podrás descubrir en el interior del tercer ojo la imagen de un águila.

Escorpio tiene el poder idéntico de Marte —fortaleza y fuego— conectado con Plutón, el definitivo, el más allá. Es un mes de gran profundidad, una época para meditar y reflexionar, pero (igual que en el mes de Piscis) no es una época para intentar cumplir grandes logros, por lo menos en el mundo exterior. Relájate, rejuvenécete e indaga en tu interior.

DICIEMBRE es el mes de Sagitario, regido por Júpiter, expansivo, jovial. Este mes encierra una energía intensa, embravecida y prominente, que empieza en Acción de Gracias, a finales de noviembre, y crece hasta el solsticio de invierno, que en tantas tradiciones se celebra de muchas maneras distintas, entre ellas, por supuesto, la Navidad y el Hanukka. Celebra la abundancia durante todo el mes, a partir del día de Acción de Gracias. Otro año ha terminado y todos tenemos mucho por lo que estar agradecidos.

Celebra la existencia. Reflexiona sobre las palabras de Eckhart Tolle:

> La gratitud por el presente y la plenitud de la vida
> son ahora la verdadera prosperidad.

Que así sea. ¡Así es!

Un breve resumen

Tenemos la omnipotencia bajo nuestras órdenes y la eternidad a nuestra disposición. Constantemente estamos evolucionando y, de manera consciente, podemos acelerar el proceso acordándonos, una y otra vez y por cualquier medio necesario, de volver a conectar con nuestro espíritu, con la fuente de todo nuestro poder, la fuente de toda la creación.

11

El lado místico
y espiritual del éxito

Nunca comprenderemos las fuerzas de la creación.
Pero podemos ponerlas en funcionamiento
y volvernos a sentar, maravillados
por el misterio y la majestuosidad de todo.

Lo mágico, lo místico, lo espiritual... todo está interconectado. La práctica mágica nos conecta con nuestro poder espiritual; los resultados pueden ser asombrosos y pueden suceder rápidamente: por eso se dice que es un atajo. Es un proceso místico que jamás podrá llegarse a comprender plenamente. Siempre seguirá siendo un misterio.

Eckhart Tolle dijo que dentro de mil años los científicos estudiarán el cuerpo humano y se harán nuevas preguntas y descubrirán nuevos misterios. Sin duda esto también es cierto para el proceso de la creación: nunca lo comprenderemos del todo. Pero podemos entenderlo lo suficiente para ponerlo en marcha –sólo necesitamos un momento– y luego volvernos a sentar, maravillados por el misterio y la belleza de todo.

Ya he escrito y hablado en muchas ocasiones sobre los muy diversos senderos espirituales que conducen al éxito.[2] ¿Realmente existe un atajo que podemos tomar? Reflexionemos sobre una cosa durante un rato y veamos a dónde nos lleva. Vamos a considerar una forma de ver el mundo que es fácil de entender y a la vez tiene unas implicaciones muy profundas.

Formas exteriores, interiores y ocultas de la existencia

Esto es algo que aprendí de un maestro tibetano hace muchos años: todo tiene un plano exterior, interior y oculto de estados o formas de existencia. Cada uno de ellos es distinto, y su conocimiento nos brinda un entendimiento y una sabiduría profundas –y, sí, incluso también *ilustración*.

Toma como ejemplo la silla sobre la que quizás estás sentado en este momento: según su forma exterior simplemente es una silla compuesta de madera (o del material que sea). Es sólida, está cubierta de pintura o de una tela coloreada, y está fabricada de tal manera que aguanta nuestro cuerpo mientras estamos sentados sobre ella.

¿Cuál es su forma interior? Si está hecha de madera, tiene muchas fibras de madera en su interior, aparentemente sólida. Sin embargo, a medida que observamos más de cerca su forma interior, descubrimos que está compuesta de miles de millones de células, que a su vez están compuestas de billones de moléculas unidas entre sí –formando una alianza magnífica, milagrosa– para crear la forma exterior de la silla. Acercándonos todavía más, en el plano atómico,

---

2. El sendero espiritual que conduce al éxito es el tema del capítulo 11 de *El emprendedor visionario* y también del capítulo 11 de *The Millionaire Course;* además, es el título de la undécima pista de audio de *Success with Ease*, también disponible para descargar por separado *(The Spiritual Path to Success).*

descubrimos que la mayor parte es un espacio vacío con remolinos de energía e información misteriosa.

¿Cuál es su plano oculto? Se puede expresar de muchas formas distintas, siendo la siguiente una de ellas: la silla es un microcosmos que refleja el macrocosmos del universo entero. En la creación de la silla están implicadas las mismas fuerzas que en la creación de todo el universo. La silla es un mandala, una imagen, un mapa de todo el proceso y el resultado de la creación.

Nos muestra algo que los budistas han estado coreando durante alrededor de 2.500 años:

> La forma es vacío;
> el vacío es forma.

Nos muestra que el vacío y la forma de la silla están totalmente conectados con todo lo demás del universo. Todos somos uno.

Tomemos como otro ejemplo nuestro cuerpo: en su apariencia exterior, nuestro cuerpo tiene una presencia sólida y física en el mundo. Tiene un color y forma específicos que pueden verse fácilmente (a menos que seamos ciegos). Tiene la capacidad de realizar un amplio abanico de gestos y movimientos. Puede hacer y construir toda clase de cosas. Se puede doblar, romper, aplastar y mutilar. Finalmente se gasta, muere y se descompone. (Esto me recuerda una broma: *¿Qué ha estado haciendo Beethoven durante los últimos doscientos años? Descomponiendo*).

Sin embargo, ¿cuál es su forma interior? Un sistema complejo de órganos y otros aparatos que realizan las funciones necesarias para que el cuerpo siga funcionando sin complicaciones. Y, cuando profundizamos más en la forma interior del cuerpo, descubrimos que está compuesto de aproximadamente un billón de células que funcionan conjuntamente con una sorprendente complejidad y armonía. Estas células están compuestas por billones de moléculas que, a su vez, están compuestas por billones de átomos. Si ahondamos todavía más, descubrimos que hay un espacio vacío, lleno de energía, información y misterio.

¿Cuál es el plano oculto de nuestro cuerpo? Puede expresarse así: nuestro cuerpo es un microcosmos que refleja el macrocosmos del universo entero. En la creación de nuestro cuerpo están implicadas las mismas fuerzas que en la creación de todo el universo. Nuestro cuerpo es un mandala, una imagen, un mapa de todo el proceso y el resultado de la creación.

Como es arriba, es abajo.

Nuestras formas interior y exterior son temporales, y pronto perecerán, pero en su núcleo, su esencia, nuestro cuerpo está compuesto de la energía de la vida, que forma uno con toda la existencia. Es una energía que no se disipará porque no se puede crear ni destruir. Simplemente es. Y siempre será.

Repite de nuevo este mantra, estas palabras poderosas: *La forma es vacío; el vacío es forma.* El vacío y la forma de nuestro cuerpo están completamente conectados con todo lo demás del universo. Todos somos uno, ahora y para siempre.

Cuando reflexionamos sobre este plano oculto de la existencia, descubrimos el milagro y la magia de nuestro cuerpo y de nuestra existencia. Y, en el momento en que lo comprendemos del todo, descubrimos quiénes somos. Y estamos ilustrados. Nos autorrealizamos. Nos sentimos intimidados por el milagro de la *existencia.*

Bajo el nivel de las apariencias físicas y las formas separadas, somos uno con toda la existencia.

ECKHART TOLLE, *El poder del ahora*

Éxito, abundancia y realización

Ahora, vamos a centrar nuestra atención en el éxito, la abundancia y la realización. Una de las formas más sencillas y a la vez más poderosas de conseguir todo esto es reflexionando sobre el significado que tienen estas palabras para nosotros, imaginándolas con claridad y declarando su significado en sus formas exterior, interior y oculta.

Cuando imaginamos algo con nitidez, los pasos que debemos dar para conseguirlo resultan evidentes. Primero define o imagina qué significa para ti el éxito en el plano exterior, y luego en el plano interior. En un plano oculto, por supuesto, estás perfectamente bien en este momento; eres uno con todo lo que existe. No es necesario que hagas nada. Estás completo.

Eres una parte eterna de una creación eterna,
una pieza por excelencia de la revelación divina.

El éxito exterior

¿Qué significa para ti el *éxito exterior*? Eres una persona única y creativa, y tu concepto del éxito probablemente no sea el mismo que el que tus padres quieren para sí mismos o para ti. No es lo que otros creen que debería ser. Tú, y sólo tú, puedes definir lo que significa el éxito para ti.

Quizás ya sabes exactamente lo que quieres en la vida. Si no lo sabes, puedes rezar por ello, puedes pedir orientación al respecto. Si no tienes una idea clara y concreta de lo que quieres en la vida, realiza la Meditación del Escenario Ideal del capítulo 1 o una versión más reducida, como ésta:

Siéntate en posición cómoda y relájate…
Cierra los ojos y toma conciencia de tu respiración.

Haz que tus inspiraciones y espiraciones sean más largas y profundas a medida que te relajas más y más...
Relaja el cuerpo, de la cabeza a los dedos de los pies...
Relaja la mente, deja ir todos tus pensamientos...
Deja ir todo...
Relájate en el campo vibrante de luz de tu interior...

Ahora imagina tu vida ideal dentro de dos, tres o cinco años. ¿Qué haces la mayor parte de los días? ¿Cómo es lo que te rodea? ¿Qué has logrado?

Pide al espíritu que te guíe en todo momento, cada día; pide que te oriente para reproducir o imaginar tu vida perfecta, el sueño más sublime que puedas imaginar...
Ahora pide ver los siguientes pasos que debes dar para manifestar tu vida ideal, tu realización perfecta...

Permanece en silencio, relájate y observa qué se te aparece...

Define tu éxito exterior con la mayor claridad y concreción que puedas. ¿Significa libertad para viajar, escribir, enseñar o crear algo? ¿Significa una familia? ¿Significa la tenencia de una cantidad determinada de dinero en el banco? ¿Incluye bienes inmuebles? ¿Cuánto tiempo libre tienes? ¿Quieres una vida que sea sencilla, apacible, saludable y positiva? Define claramente lo que quieres.

A continuación, pídelo simplemente en tus oraciones. O afirma repetidamente que se está manifestando de forma sencilla, apacible, saludable y positiva, en su momento idóneo, para el mayor beneficio de todos. Tal vez sea lo único que necesites hacer en el sendero mágico, el sendero directo hacia la realización.

Afirma algo similar a:

> El espíritu me guía
> en todo momento.

El espíritu me guía
para que halle y realice
mi llamada, mi vocación.

El espíritu me guía
para que desarrolle mi potencial
y manifieste la vida de mis sueños.
Que así sea. ¡Así es!

O incluso algo similar a:

Hago una labor maravillosa
de una forma maravillosa
con personas maravillosas
para obtener una recompensa maravillosa.

Sigue pidiendo orientación interior y deja que surjan los planes. Anótalos. Ten un objetivo concreto para cada uno de tus planes. Da los siguientes pasos que tienes delante de ti para alcanzar esos objetivos que has puesto por escrito. Da un pequeño paso cada vez; el viaje más largo, escalar la montaña más alta, consiste en un conjunto de pasos pequeños y realizables.

No tengas sueños demasiado inapreciables. ¡Nunca te arrepentirás de perseguir tus sueños!

No hagas planes humildes;
carecen de magia para despertarte la sangre…
Haz planes colosales; eleva el listón con esperanza y esmero.

DANIEL BURNHAM, arquitecto y planificador urbano

El éxito interior

Algunos tenemos conflictos con nosotros mismos sobre el hecho de alcanzar el éxito en el plano exterior porque en el fondo sabemos que hay cosas mucho más importantes en la vida que nuestros logros en el mundo y las cosas de las que nos rodeamos. Mientras sigamos en conflicto por eso, podremos sabotear tanto nuestro éxito interior como exterior.

No temas perseguir tu éxito en el plano externo: no sólo es para tu mayor beneficio, sino también para el de todos. Sigue afirmándolo y se hará realidad:

> Esto, o algo mejor,
> se está manifestando
> de forma completamente satisfactoria y armoniosa
> para el mayor beneficio de todos.
>
> Que así sea. Así es.

Si seguimos afirmando estas palabras, tendrán el poder de superar muchos temores que nos impiden estar satisfechos y contentos con nuestra vida y alcanzar nuestro mayor interés en este gran mundo mágico en el que vivimos.

Sabemos que el verdadero éxito en el mundo exterior tiene que incluir las cosas interiores que intuimos que son importantes porque son esenciales para lograr la felicidad y una vida bien vivida.

¿Qué significa para ti el éxito interior? La mayoría de personas quiere lo mismo: felicidad –tanta como sea posible–, paz interior, satisfacción, realización, serenidad. (Hay excepciones. Hace poco oí que una mujer de la ciudad de Nueva York decía: «No me gusta el yoga, la comida saludable ni la serenidad». Sin embargo, no dudo que le gustaría ser feliz en la vida, estar satisfecha y sentirse realizada de algún modo. ¿Acaso no queremos eso todos?).

Dedica un tiempo a reflexionar sobre esto. ¿Qué estado interior de cuerpo y mente deseas alcanzar? ¿Cómo puedes lograrlo?

Las afirmaciones, los mantras, las fórmulas mágicas –puedes llamarlo como quieras– ejercen un efecto poderoso sobre los estados internos del ser. Son herramientas mágicas que utilizamos en el atajo hacia la realización. No dejes de buscar las palabras adecuadas para tus afirmaciones, especialmente cuando afrontes contratiempos y dificultades. Halla tus propias palabras. He aquí algunas propuestas:

Soy suficiente, estoy completo.
Tengo todo lo que necesito
para disfrutar el aquí y el ahora.

El espíritu me guía en todo momento,
mientras hago lo que amo.

Mi matrimonio, mi vida familiar y mi vida profesional
están llenos de gracia,
facilidad y ligereza.

El espíritu fluye a través de mí en todo momento
con su energía sanadora.
Me dejo guiar por el espíritu y cumplo la voluntad de Dios.
No opongo resistencia a la vida,
estoy en paz con lo que existe
y estoy lleno de gracia, facilidad y ligereza.
En todo momento siento mi Ser.
Eso es la ilustración.

El secreto del éxito

Existe un gran secreto que a la vez no es ningún secreto. La gente lo lleva diciendo desde hace muchos miles de años, sin embargo, carece de sentido para la mayoría porque parece contradecir completamente las verdades más patentes de sus vidas llenas de conflictos, dificultades y esperanzas y sueños no cumplidos.

Se puede expresar de muchas maneras distintas, por supuesto, de modo que, antes de expresarlo con mis propias palabras, convendría que te hicieras estas preguntas y reflexionaras sobre las respuestas que se te ocurren:

¿Qué es verdaderamente importante en la vida?
¿Qué es duradero y valioso?
¿Cuál es para mí el secreto del éxito?

He aquí las palabras que me vienen a la mente en este momento, cuando me hago estas preguntas: ¿qué es verdaderamente importante en la vida? Comprender *qué es*. ¿Qué es duradero y valioso? La vida, que es infinita y eterna. La vida, que es luz y amor.

¿Cuál es el secreto del éxito? Ya has alcanzado el éxito y estás maravillosamente completo por el simple hecho de estar vivo en este momento. Sueña y ve a por tus sueños, pero nunca olvides que ya eres perfecto tal y como eres, y este momento es perfecto tal y como es.

Un maestro tibetano llamado Long Chen Pa (también puede escribirse como Longchenpa) escribió unas palabras hace alrededor de un milenio que se han hecho famosas en todo el mundo. Enseñaba lo que se denomina *Dzogchen*, que significa «perfección absoluta». (Una de las razones por las que me gusta es porque en mitad de su excelente carrera profesional como maestro –tenía miles de estudiantes– se marchó a una cueva a meditar durante doce años). Escribió un libro llamado *The Natural Freedom of Mind* que contiene el siguiente pasaje:

Puesto que todo es una ilusión,
perfecta tal y como es,
sin nada que ver con la bondad o la maldad
ni con que la aceptemos o rechacemos,
bien es posible estallar en carcajadas.

Todo es perfecto tal y como es, y eso nos incluye a ti, a mí y al resto del universo. No necesitamos alcanzar nada, sino solamente advertir la maravilla, la magia, el milagro de lo que somos. ¡Somos la vida misma!

El sendero espiritual de la oración

Espero que a estas alturas hayas advertido que la oración funciona. La oración es una clase de magia poderosa; el atajo es por medio de la oración. No tienes por qué creerlo; solamente pruébalo, con la mente y el corazón abiertos, y observa qué ocurre. La oración funciona a menos que, después de pronunciarla, la anulemos con nuestros pensamientos.

La oración, las afirmaciones, las declaraciones, los mantras, las salmodias, las fórmulas mágicas, el pensamiento positivo, la planificación estratégica: todos funcionan. Por desgracia, el pensamiento negativo también funciona, así que vigila lo que piensas.

El pensamiento negativo es tan poderoso y creativo como el pensamiento positivo, tal y como se ha manifestado una y otra vez. Pero también es cierto que la oración adecuada, la afirmación idónea, el pensamiento positivo correcto pueden superar semanas, meses, años e incluso décadas de pensamientos negativos.

Deja atrás el pasado. Ya ha finalizado y hemos terminado con él. Lo único que tenemos en este momento es el presente. En este momento, reza por lo que quieres.

Atrévete a soñar y afirmar la vida
más sublime y maravillosa que puedas imaginar.
Nuestros pensamientos y oraciones de hoy
determinarán nuestra vida de mañana.

Que así sea. ¡Así es!

El sendero espiritual del éxito

Por medio del método de ensayo y error, he llegado a advertir que el hecho de entender que todos tenemos una vida espiritual puede ser la ruta más rápida y directa hacia el éxito, tenga el significado que tenga para nosotros.

Este libro podría llamarse *El sendero espiritual del éxito* porque el sendero espiritual y el sendero mágico en realidad son lo mismo. Guiados por el espíritu, primero creamos algo en nuestra mente que posteriormente se manifiesta en el plano físico.

Nuestro mundo exterior está lleno de grandes estructuras sólidas que son la genialidad y el cumplimiento de la humanidad, así como la genialidad, el cumplimiento y el diseño inteligente de un poder mucho mayor que la humanidad. Todo lo que existe primero fue una creación interna, una idea, un pensamiento.

Y la mayor de estas creaciones se origina en el espíritu. El espíritu es la fuente afectuosa y compasiva de toda la creación, y tenemos un vínculo directo con él en todo momento.

Pedid y recibiréis;
buscad y encontraréis;
llamad y os abrirán.
Porque todo el que pide recibe,
el que busca encuentra
y al que llama le abren.

MATEO 7:7-8

Las respuestas se hallan en la quietud y la voz silenciosa del espíritu.
Ve a tu interior. Solamente inspira hondo, relájate y cierra los ojos…

Ve a tu interior.
Deja ir todos tus pensamientos…
Siente tu Presencia.
Siente la luz de tu interior.
Éste es el plano de la creación mágica.
Éste es el plano de la revelación espiritual.

12

Crear un mundo adecuado
para todos

*La intención de este curso
es contribuir al desarrollo de un ejército pacífico
de visionarios, artistas, emprendedores, empresarios,
maestros, escritores, activistas y líderes
que no sólo estén trasformando su propia vida,
sino también todo el mundo,
contribuyendo a la creación de un mundo adecuado para todos,
de forma sencilla, apacible,
saludable y positiva,
en su momento idóneo
y para el mayor beneficio de todos.*

Tenemos todas las herramientas que necesitamos en este momento. El proceso sigue siendo un misterio, pero sabemos cómo ponerlo en marcha. Ya hemos sido testigos de los extraordinarios cambios que se han producido en nuestra vida; ahora es momento de producir algunos cambios notables también en nuestro mundo. Las herramientas mágicas que nos sirven para crear la vida de nuestros sueños son las mismas que podemos utilizar para hacer que este mundo, cuando lo abandonemos, sea un lugar mejor que cuando llegamos a él.

El proceso para producir cambios importantes en el mundo es el mismo que hemos utilizado para producir cambios destacados en nuestra vida: primero soñamos en un mundo que sea adecuado para todos, luego imaginamos posibilidades, y a continuación hacemos planes y damos los primeros pasos. Afirmamos el sueño con el poder de la palabra oral, y lo hacemos realidad con el poder de la palabra escrita y de la acción comprometida.

No dudes jamás de que un pequeño grupo
de ciudadanos clarividentes y comprometidos
puede cambiar el mundo.
De hecho, son los únicos que lo han logrado.

MARGARET MEAD

Existe una vía rápida, un sendero directo, para cambiar el mundo a mejor. A medida que cada vez más personas lo advirtamos, los cambios podrán producirse –y se producirán– rápidamente.

El sueño

Tenemos que empezar con un sueño e imaginar cómo podemos alcanzarlo. Hacemos una tormenta de ideas, elaboramos listas de cosas que podrían ocurrir. Debatimos distintas posibilidades. Luego determinamos objetivos claros y planeamos cómo alcanzarlos. Damos los primeros pasos que tenemos ante nosotros. Y cambiamos el mundo.

Muy pocas personas se atreven a soñar con un mundo mejor. Sin embargo, eso es exactamente lo que se necesita a nivel mundial en estos momentos: un gran número de personas (a pesar de que, tal y como nos recuerda Margaret Mead, pueda ser un pequeño porcentaje de la población) que tenga una visión de un mundo adecuado para todos y haga algo para alcanzarla.

Lo más importante que no debemos perder de vista en ningún momento es el sueño, la visión:

Ten en mente el sueño, la visión:
es posible crear un mundo adecuado para todos,
en el que todos tengamos alimentos, un hogar y educación.
Es la gran labor que tenemos frente a nosotros.

Buckminster Fuller, el excelente visionario y pionero, lo comprendió hace muchas décadas. Ya en los sesenta dijo que actualmente disponemos de la tecnología y la capacidad para mejorar la calidad de vida de todos los habitantes del planeta.

Dijo que tenemos las herramientas que necesitamos para que todos puedan ascender por la pirámide de Maslow de la conciencia humana. Como hemos visto antes, Maslow consideraba que la humanidad forma una pirámide inmensa en la que en cada nivel tenemos distintas necesidades y un nivel diferente de conciencia.

El vasto número de personas de la base de la pirámide necesita alimentos y cobijo. En cuanto se satisfacen estas necesidades, se asciende por la pirámide, y las necesidades pasan a estar relacionadas con la seguridad, el cuidado de la salud y la recuperación de la misma. Cuando estas necesidades están cubiertas, ascendemos por la pirámide hasta llegar al maravilloso y expansivo mundo de la educación.

Aquí es donde aprendemos a hacer magia. Cuando instruimos a los demás, les damos las herramientas para alcanzar la cima de la pirámide de la conciencia humana, la *autorrealización*, por utilizar la terminología de Maslow. El cumplimiento de su máximo potencial. La realización personal. Puedes llamarlo como prefieras.

Ten presente siempre:

Tenemos la tecnología para ayudar a todos los habitantes de la Tierra a que asciendan por la pirámide de la conciencia humana; lo único que *nos falta es que haya suficientes personas que utilicen esta tecnología tanto para ellas mismas como para los demás.*

Cada vez más personas utilizan las tecnologías y los recursos necesarios para hacer que este mundo sea un lugar mejor. Una poderosa oleada de cambio está alzándose sobre el mundo y, si seguimos afirmándolo, será un cambio para bien, para el mayor beneficio de todos.

Es evidente que uno de los principales propósitos de todo gobierno es cuidar de sus ciudadanos para que todos tengan alimentos, hogar, seguridad y educación. Es obvio que la única manera de conseguirlo es por medio de una alianza de los gobiernos con sus ciudadanos. Un gran número de países fructíferos ya lo saben. Sin embargo, demasiados países todavía lo ignoran completamente.

¿Cómo hallamos las soluciones a los problemas que aquejan al mundo? Es una buena pregunta que nos podemos hacer. Albert Einstein nos recuerda que el plano del pensamiento que creó los problemas es incapaz de descubrir las soluciones a los mismos. Las soluciones tienen que surgir de un plano superior del pensamiento.

¿Cómo hallamos las soluciones? Las personas están descubriendo las soluciones de un gran número de maneras distintas. Para mí, la escritora y visionaria que nos muestra cómo hallar las soluciones que necesitamos de la forma más sencilla y eficaz, de una forma que puedo entender y utilizar en mi vida cotidiana, es Riane Eisler.

Antes hemos visto su obra, en el capítulo sobre cómo crear relaciones fructíferas. Lo ha resumido todo en sus dos grandes libros, *El cáliz y la espada* y *The Power of Partnership*: la esencia del problema estriba en el modelo de dominio y explotación que se ha consolidado en todo el mundo y se basa en una necesidad de controlar, y la solución radica en el modelo de la alianza, basado en el respeto mutuo.

Es la clave única y sencilla para hacer que el sueño funcione:

La sencilla clave
para crear un mundo adecuado para todos
es formar una alianza con todos.
Es así de simple.

Los problemas del mundo son una consecuencia del dominio y la explotación, con su temor subyacente y su necesidad de controlar. Hallaremos las soluciones si formamos una alianza, con respeto los unos por los otros, y cooperamos entre nosotros para soñar con un mundo que sea adecuado para todos, imaginamos cómo podemos alcanzarlo, cómo podemos crearlo conjuntamente, dando un pequeño paso cada vez.

MEDITACIÓN PARA LA CREACIÓN DEL SUEÑO

Halla un lugar tranquilo donde nadie te moleste y ponte cómodo...

Lentamente, inspira hondo y, mientras espiras, relaja el cuerpo, desde la cabeza hasta los dedos de los pies...

Inspira otra vez y, al espirar, relaja la mente y deja ir todos los pensamientos...

Inspira hondo otra vez y deja ir todo...

Flota en el océano de tu Presencia...

Siente la energía de tu Ser...

Es vida...

Es amor...

Desde el espacio informe que hay frente a ti, deja que surjan algunas formas en el campo vasto de tu visión interior...

Imagina de algún modo un mundo adecuado para todos...

Pregúntate: *¿Cómo podemos crear un mundo que sea adecuado para todos?*

Observa qué imágenes se te ocurren...

Veo un gran número de personas, ejércitos pacíficos de visionarios, artistas, emprendedores, empresarios, maestros, líderes, activistas y políticos que colaboran entre ellos para construir un mundo nuevo.

Todos tenemos la misma visión, el mismo sueño:

> Es posible crear un mundo
> adecuado para todos.

Sabemos que tenemos la tecnología y la capacidad para dar alojamiento, alimentos, protección y educación a todos los habitantes del planeta. Centrémonos en este sencillo objetivo: *Creemos un mundo adecuado para todos.*
Todos sabemos que la única solución es funcionar como una alianza en la que cada uno de nosotros tenemos una contribución única que hacer. ¿Cuál es la tuya?

Imagina un mundo adecuado para todos…
¿Qué aspecto tiene?
¿Cuál es tu *escenario ideal* para el mundo?
¿Qué puedes hacer para dar los pasos necesarios a fin de cumplir ese sueño?

¿Qué afirmación se te ocurre que dote de poder ese sueño? Quizás algo similar a:

> En estos momentos estamos creando
> un mundo adecuado para todos,
> en alianza los unos con los otros,
> de forma sencilla, apacible,
> saludable y positiva,

en su momento idóneo
y para el mayor beneficio de todos.

Que así sea. ¡Así es!

Hacer realidad el sueño

Millones de personas ya sueñan con crear un mundo mejor, millones de personas ya están haciendo cosas magníficas. Pero hay mucho más por hacer, y todos podemos hacer algo. Si crees que no tienes el tiempo ni el dinero necesario, aún estás a tiempo de recoger los restos de basura mientras caminas hacia algún lugar. Todavía puedes reciclar; todavía puedes tratar con amabilidad a las personas; todavía puedes cooperar con los demás.

Todo el mundo puede hacer algo
para hacer de este mundo un mundo mejor,
un mundo adecuado para todos.

La gran labor que tenemos ante nosotros
está remplazando el consolidado modelo de dominio,
basado en el temor y la necesidad de controlar,
por una nueva forma de vida,
un nuevo modelo de alianza,
basado en el amor y el respeto por todas las personas
y toda la creación.

Que así sea. ¡Así es!

Todo el mundo puede hacer algo, de modo que *haz* algo, ahora, hoy, o por lo menos esta semana. Tenemos una labor difícil ante nosotros. Tenemos que dar cobijo, alimentos y educación a todos los habitantes del planeta. Tenemos que brindar seguridad y garantizar los derechos humanos básicos de todos, lo que significa que tenemos que terminar con las guerras, porque son la mayor violación de los derechos humanos. Es un gran desafío, pero es realizable. Disponemos de la tecnología desde hace años; lo único que nos ha faltado ha sido la visión. Ahora tenemos la visión: *podemos crear un mundo adecuado para todos.*

¿Qué estás haciendo para contribuir a que el mundo sea un lugar mejor?

Todos podemos ayudar. No importa quiénes somos, ni si somos ricos o pobres, optimistas o pesimistas. No importa con qué causas nos identificamos ni qué etiquetas utilizamos para describirnos. No importa si somos conservadores o liberales, religiosos o ateos, espirituales o pragmáticos. Todos somos miembros de la misma familia y podemos estar de acuerdo en que hay mucho espacio para mejorar el mundo.

La mala noticia es que el mundo está hecho un desastre. Hay gente que pasa hambre, no tiene hogar y muere en las guerras. Demasiadas personas son pobres, están desesperadas y mueren de enfermedades que podrían evitarse.

La buena noticia es que todos podemos hacer algo al respecto. Todos podemos hacer algo para mejorar nuestra vida y también la de otras personas. Podemos seguir descubriendo el poder brillante de la alianza en nuestras relaciones íntimas y familiares, nuestro trabajo y nuestras comunidades, nuestra nación y nuestro mundo. Mientras tanto, descubriremos la gran alianza que tenemos con la naturaleza y el espíritu.

Un mundo adecuado para todos

Imaginemos un mundo que sea adecuado para todos.

Hay cuatro cosas que podemos hacer:
soñar, imaginar, creer y crear.

Soñemos con un mundo en el que todos gozan de respeto y tienen garantizados los derechos humanos básicos como el derecho a la vida, a la libertad y a la búsqueda de la felicidad. Soñemos con un mundo en el que todos tienen hogar, alimentos y acceso a la educación; soñemos con un mundo en el que se nos anima a soñar y a vivir la vida que soñamos.

Imagina las muchas maneras –el ilimitado número de maneras– en que se pueden cumplir nuestros sueños.

Cree que eso es posible. ¿Quién fue el que dijo estas palabras tan poderosas?

> Podemos conseguir aquello
> en lo que creemos.

Si podemos soñarlo, si podemos imaginarlo con claridad, podremos crearlo.

Todos tenemos una gran labor ante nosotros: la labor de curarnos a nosotros mismos y nuestro planeta, crear un sistema mundial sostenible que apoye la vida de todos a lo largo de las generaciones, y ayude a todos a ascender por la pirámide de la conciencia humana y alcanzar los reinos de la educación superior y la autorrealización.

Que así sea. Así es.

Ideas para el 99 por 100 (y también para el 1 por 100)

En este apartado se repiten algunas cosas que ya hemos visto, pero merece la pena repetir aquello que es esencial para nuestro bienestar.

Recordemos siempre las famosas palabras de Einstein, famosas porque su sabiduría es tan brillante que nos muestra dónde hallar las respuestas a todos nuestros problemas:

No podemos resolver los problemas importantes
pensando de la misma manera que cuando los creamos.

¿Qué clase de pensamientos han causado la mayoría de nuestros problemas?

El *modelo del dominante* que se ha consolidado con firmeza en todo el mundo durante los últimos tres milenios aproximadamente. Es un plano de la conciencia que se basa en el miedo, y resulta de un conjunto de creencias profundamente arraigadas acerca de que el mundo es un lugar hostil y difícil en el que uno tiene que luchar contra enemigos a fin de sobrevivir.

Este plano de la conciencia crea incontables problemas, ira, resentimiento y hostilidad, y demasiadas veces conduce a la violencia, lo que por supuesto acarrea más violencia. Y, a menos que las personas asciendan a un nivel superior de pensamiento y acción para superarlo, estaremos atrapados en un ciclo interminable de violencia entre unos y otros.

La ira no ayuda a resolver los problemas, sino que los crea. Demonizar a los demás no ayuda a resolver nuestros problemas, sino que los causa. *Toda* reacción que surge del miedo crea más problemas de los que resuelve. Toda decisión tomada con miedo es inevitablemente una mala decisión.

La solución a nuestros problemas no es tan difícil de comprender, aunque implementarla es un gran desafío, porque implica modificar nuestras percepciones sobre nosotros mismos y sobre el mundo. Sólo podremos hallar la solución si ascendemos a un plano superior de conciencia, un plano superior de pensamiento basado en el amor y el respeto en lugar del temor y la necesidad de controlar a los demás. Sólo podremos hallar la solución si creamos alianzas en las que todos son valorados y logran lo que necesitan y merecen.

Ya hemos visto estas palabras de Jesús y volveremos a verlas de nuevo. Quizás algún día seamos capaces de vivirlas:

Amaos unos a otros como yo os he amado.

Ramana Maharshi, uno de los maestros más importantes de la India del siglo pasado, lo resumió con estas palabras:

El fin de todo conocimiento es el amor, el amor y el amor.

Es así de simple. Amarnos unos a otros es la llave de la solución a nuestros problemas. Cuando tratamos a los demás con amor y respeto, cuando sentimos compasión por toda la humanidad, podemos hallar soluciones a los grandes problemas mundiales que afrontamos.

Esto es lo que creo

Creo que hay cosas mucho más maravillosas en el cielo y en la tierra de lo que imaginan nuestros filósofos.

Creo que somos seres mucho más magníficos de lo que osamos imaginar.

Creo que estamos aquí por un gran propósito, nada menos que la ilustración y, a lo largo del recorrido, ayudar a todos los habitantes de este planeta a evolucionar para que podamos construir un mundo en el que haya paz y prosperidad para todos.

Creo que es en las épocas de conflictos cuando descubrimos nuestras mayores fortalezas mentales, físicas y espirituales. Es en las épocas de dificultades cuando hallamos nuestro sendero espiritual y forjamos los pensamientos y las herramientas necesarias para darnos seguridad, paz e iluminación.

Es en las épocas más duras, más oscuras, cuando hallamos nuestra paz interior duradera.

Estoy de acuerdo con Einstein: «Sólo hay dos maneras de vivir la vida: la primera es pensar que nada es un milagro, y la otra es pensar que todo es un milagro. Yo escojo la segunda».

Creo que toda vida es un milagro.

Este hermoso planeta en el que habitamos es una creación milagrosa. Nuestras vidas son un milagro.

Reconocer y apreciar el milagro de la vida –el milagro de la *existencia*, en cada instante del día– ilumina y alegra todos los instantes.

Creo que estamos aquí para proteger y estar al servicio de nuestra Madre Tierra para que pueda seguir siendo abundante y hermosa durante miles de generaciones.

Creo que la guerra es un asesinato, y el asesinato está prohibido, de modo que la guerra debería estar prohibida en todos los países que respeten los derechos humanos básicos como el derecho a la vida, a la libertad y a la búsqueda de la felicidad.

Creo en el poder de la alianza y la negociación:

> Hallaremos la solución a todos nuestros problemas
> cuando aprendamos a cooperar entre nosotros
> con amor y respeto por todos y por la tierra.

Creo que una de las claves para la ilustración y la evolución de nuestra especie es la siguiente:

> Estamos aquí para amar y estar al servicio de todos,
> incluso de nosotros mismos, para ayudarnos
> a cumplir nuestros sueños.

Que así sea. ¡Así es!

En resumen

Hay mucho valor en el hecho de simplificar las cosas, de expresar las cosas con la máxima brevedad y concisión posible, con las palabras más sencillas posibles. Resumiendo:

Amaos unos a otros tanto como podáis. Por lo menos reconoced que todos somos seres humanos y merecemos respeto. Todos merecemos ser escuchados. Todos tenemos derecho a la vida, la libertad y la búsqueda de la felicidad.

En la vida del ser humano hay tres cosas importantes.
La primera es ser amables.
La segunda es ser amables.
Y la tercera es ser amables.

HENRY JAMES

Vivid y colaborad entre vosotros tanto como podáis; los resultados merecen completamente la pena. Mediante el genio, el poder y la magia que surgen cuando colaboramos entre nosotros, podemos crear un mundo adecuado para todos.

Si prevaleciera el amor por el prójimo en todo el mundo,
la Tierra sería un paraíso
y el infierno una fábula.

CHARLES COLTON

Todos podemos dar algo, si no a nivel económico, podemos dar un poco de nuestro tiempo. Y casi todos nosotros podemos dar algo de dinero, incluso aunque sea poco. Si millones de personas dan un poco de dinero, resulta en una poderosa fuerza para el cambio.

Todos podemos ser parte de la solución en lugar de ser parte del problema. ¿Qué podemos hacer? Existen incontables posibilidades, y no hay nada más gratificante que poner de nuestra parte para ayudar a crear un mundo que sea adecuado para todos.

La llave mágica para convertir la Tierra en un paraíso

Cuando nos atrevemos a soñar en un mundo adecuado para todos, inevitablemente soñamos con crear una especie de utopía. Demasiados sueños utópicos del pasado tenían un importante defecto: se daba por hecho que si se producían los cambios externos adecuados, se podría construir una sociedad ideal.

Los sueños utópicos se centraban en la labor externa necesaria; sin embargo, jamás se creará una sociedad utópica hasta que aprendamos que la labor más esencial es interna, no externa.

Esta llave mágica no encierra ninguna novedad. John Milton, el gran escritor inglés, lo expresó hace más de trescientos años con estas poderosas y sencillas palabras:

> La mente hace su propio lugar, y por sí sola
> puede hacer un cielo del infierno
> y un infierno del cielo.

La llave mágica para convertir la Tierra en un paraíso se halla en el interior, en nuestro corazón y nuestra mente. Los que nos educamos según la tradición cristiana lo hemos escuchado una y otra vez:

> El Reino del Paraíso reside en el interior.

Existe un número infinito de senderos que conducen a la paz, la serenidad, la felicidad y el cumplimiento, al paraíso que hay sobre la Tierra.

Cada uno de estos senderos nos revela, a su propia manera, que la llave reside en nuestro interior, en nuestro corazón y nuestra mente. En nuestro corazón sabemos los siguientes pasos que debemos dar para seguir nuestra gran labor y alcanzar planos más elevados y claros de conciencia que culminen en la autorrealización, la paz interior y la ligereza.

Que así sea. ¡Así es!

Estad bien.
Estad en paz.

Apéndice

Pasajes mágicos

Copia estas palabras y cuélgalas en la pared. Llévalas encima. Envíatelas por correo electrónico.

Memoriza algunas de ellas (no todas, sólo unas pocas). Elige una que resuene con tu mente, tu alma y tu corazón y repítela una y otra vez hasta que se grabe profundamente en tu subconsciente.

Haz todo lo necesario
para grabar estas palabras
en tu inmenso y poderoso subconsciente.

Prepárate para lograr unos resultados verdaderamente mágicos y milagrosos.

Que así sea. Así es.

Que el Espíritu nos guíe
en todo momento
en nuestros pensamientos, palabras y acciones.

Y los milagros acontecerán, uno tras otro,
y las maravillas nunca cesarán
porque todas nuestras expectativas
son para el mayor beneficio de todos.

Cuando estás inspirado
por algún gran propósito,
por algún proyecto extraordinario,
todos tus pensamientos rompen sus cadenas.
Tu mente supera las limitaciones,
tu conciencia se expande en todas direcciones,
y te encuentras en un mundo nuevo, grande
y maravilloso.

Las fuerzas, facultades y talentos latentes cobran vida,
y descubres que eres una gran persona, mucho más de lo que
jamás has soñado ser.

PATANJALI (ca. 250 a.C.)

Existe un proceso de creación misterioso
al que podemos dar distintos nombres.
Nunca comprenderemos cómo funciona,
pero podemos ponerlo en funcionamiento de manera consciente.
Las herramientas que empleamos solamente son
nuestros sueños y nuestra imaginación.

LA FUERZA DE LA VIDA

Dentro de todo hombre y toda mujer hay una fuerza
que dirige y controla todo el curso de nuestra vida.
Usada apropiadamente, esta fuerza puede curar toda aflicción
y todos los males a los que se halla expuesta la humanidad.

ISRAEL REGARDIE

El arte de la verdadera curación

Pedid y recibiréis;

buscad y encontraréis;

llamad y os abrirán.

MATEO 7:7-8

Esté al menos tan interesado en lo que pasa

en su interior como en lo que ocurre fuera.

Si su interior está bien,

lo exterior estará en orden.

La realidad primaria está dentro, la secundaria fuera.

ECKHART TOLLE

El poder del ahora

Todos los días y en todos los aspectos
estoy mejorando cada vez más,
de forma sencilla, apacible,
saludable y positiva,
en su momento idóneo
y para el mayor beneficio de todos.

Estoy lleno de energía sanadora.
Estoy curado, estoy sano.
Soy perfecto tal y como soy.

Cierro los ojos y veo un campo de luz.

Y siento cómo esa luz, esa vida,

nutre y cura

todas las células de mi cuerpo.

Y sé que esa luz, esa vida,

y ese amor,

es lo que soy,

ahora y siempre.

Amén.

Esto, o algo mejor,

se está manifestando,

de forma completamente satisfactoria y armoniosa,

para el mayor beneficio de todos.

Que así sea.

Al principio ya existía la Palabra.

La Palabra estaba junto a Dios,

y la Palabra era Dios…

En ella estaba la vida;

y la vida era la luz de los hombres.

Juan 1:4

La mente es el principal poder que moldea y crea.

El hombre es inteligente y siempre que tome

la herramienta del pensamiento y le dé forma a lo que desea,

produce mucha alegría o mucha infelicidad.

Lo que el hombre piensa en secreto, eso sucede.

Su medio ambiente o entorno no es más que su espejo.

JAMES ALLEN

Como un hombre piensa, así es su vida

Dormí y soñé

que la vida era júbilo.

Desperté y descubrí

que la vida era ayudarse unos a otros.

Actué y ¡he aquí!

La ayuda se convirtió en júbilo.

RABINDRANATH TAGORE

Soy prudente y tengo el control de mis finanzas.
Estoy contribuyendo a mi éxito económico absoluto,
de forma sencilla, apacible,
saludable y positiva,
en su momento idóneo
y para el mayor beneficio de todos.

Hago una labor maravillosa
de una forma maravillosa
con personas maravillosas
para obtener una recompensa maravillosa.

Vivo en un mundo donde reina la paz
y donde todos comparten la abundancia.
Contribuyo a que este mundo sea un mundo adecuado para todos,
donde todos los habitantes de esta tierra sagrada
tengan un hogar, alimentos y acceso a la salud y a la educación
para que puedan alcanzar sus mayores sueños.

La naturaleza me enseña, me guía,

me muestra cómo vivir

y cómo comprender plenamente lo que soy,

tan poderoso como una montaña,

tan vivificante como el sol.

El espíritu fluye a través de mí en todo momento

con su energía sanadora.

Me dejo guiar por él y cumplo la voluntad de Dios.

No opongo resistencia a la vida.

Estoy en paz con la existencia,

lleno de gracia, facilidad y ligereza.

En todo momento siento mi Ser.

Eso es la ilustración.

¡El fin de todo conocimiento es amar, amar y amar!

RAMANA MAHARSHI

Sólo hay dos maneras de vivir la vida:

una es pensar que nada es un milagro,

y la otra es pensar que todo es un milagro.

Yo escojo la segunda.

ALBERT EINSTEIN

Toda la creación empieza con un impulso espiritual,

que luego se convierte en un pensamiento,

y más adelante en una emoción.

Cuando la mente se concentra en ese pensamiento y esa emoción,

el resultado es la creación física.

Te proporciono una nueva ley:

Amaos unos a otros como yo os he amado.

JESÚS

Céntrate en tus sueños con amor,

y pronto se manifestarán.

Antes que tarde, te hallarás viviendo en un mundo

que tan sólo hace unos años era

un sueño imaginario.

Tengo la omnipotencia bajo mis órdenes

y la eternidad a mi disposición.

ELIPHAS LÉVI

Llegará el día en que,

tras haber aprovechado el espacio,

los vientos, las mareas y la gravitación,

aprovecharemos para Dios las energías del amor.

Y, ese día, por segunda vez en

la historia del mundo,

habremos descubierto el fuego.

Teilhard de Chardin

De forma sencilla, apacible,

saludable y positiva,

en su momento idóneo

y para el mayor beneficio de todos, ruego…

El espíritu fluye a través de mí en todo momento

con su energía sanadora.

Me dejo guiar por él y cumplo la voluntad de Dios.

No opongo resistencia a la vida,

estoy en paz con la existencia,

lleno de gracia, facilidad y ligereza.

Eso es la ilustración.

De forma sencilla, apacible,

saludable y positiva,

en su momento idóneo

y para el mayor beneficio de todos,

ahora creo la vida y el mundo

de mis sueños.

Ahora vivimos y trabajamos

juntos, colaborando entre nosotros,

para crear un mundo adecuado para todos.

Que así sea. ¡Así es!

De forma sencilla, apacible,

saludable y positiva,

en su momento idóneo

y para el mayor beneficio de todos, ruego…

Mi matrimonio, mi vida familiar y el tiempo que paso a solas,

son fuentes de gran alegría,

gracia, facilidad y ligereza.

Tengo mucho tiempo para mis familiares y amigos,

y mucho tiempo terapéutico para mí mismo.

Que así sea. Así es.

Serás tan magnífico
como la aspiración que te domina…
Aquel que adora su hermosa visión,
un alto ideal en su corazón,
un día lo verá realizado.

JAMES ALLEN
As You Think

No oponer resistencia a la vida
es estar en un estado de gracia,
facilidad y ligereza.

ECKHART TOLLE
El poder del ahora

La luz de Dios me rodea,

el amor de Dios me envuelve,

el poder de Dios fluye a través de mí,

me cura y me protege.

Esté donde esté, Dios está conmigo

y todo va bien.

La luz de Dios nos rodea,

el amor de Dios nos envuelve,

el poder de Dios fluye a través de nosotros,

nos cura y nos protege.

Estemos donde estemos, Dios está con nosotros,

y todo va bien.

Si puedes imaginarlo con bastante nitidez,

puede hacerse realidad,

de forma sencilla, apacible,

saludable y positiva,

en su momento idóneo

y para el mayor beneficio de todos.

El amor es la respuesta, el amor es la clave.

Puede abrir cualquier puerta, darnos ojos para ver.

En nuestro corazón reside un secreto liberador;

lo único que necesitamos es amor.

Somos la creación de las fuerzas de la vida,

una mezcla eterna de éxtasis y conflictos,

que vivirá siempre que el universo permanezca,

lo que significa para siempre, a través de los días y las noches de

nuestra galaxia.

Desde el Big Bang

hasta la destrucción del agujero negro,

sólo trascurre un día de vida de nuestra construcción cósmica.

Viviremos para siempre, somos el material de las estrellas,

siempre crecientes, siempre cambiantes,

nacidos en esta vida, nacidos en aquélla,

cambiando esta forma por la siguiente,

una parte eterna de una creación eterna,

¡una pieza por excelencia de la revelación divina!

Tú

eres un genio creativo

único, capaz

de hacer realidad tus sueños más

expansivos y de satisfacer tu verdadero propósito,

ascendiendo, y ayudando a los demás a ascender por la pirámide

de la conciencia humana para la autorrealización y la satisfacción

personal.

Todos tus proyectos tendrán éxito,

y por tus caminos brillará la luz.

Job 22:28

Lo que somos hoy surge de nuestros pensamientos de ayer,
y nuestros pensamientos de hoy forman nuestra vida de mañana;
nuestra vida es obra de nuestra mente.

BUDA EN EL DHAMMAPADA
(y James Allen)

La oración es el contacto de la propia mente
con Dios-Mente,
de tal manera que resulte
en la consecución de un bien deseado.

Ernest Holmes

Serás lo que quieras ser;
deja que el fracaso halle su contenido falso
en el «entorno», esa palabra mediocre
pero que el Espíritu menosprecia, y se libere.

Domina el tiempo, conquista el espacio,
intimida esa Oportunidad jactanciosa y tramposa,
declara la tirana Circunstancia
no coronada, y ocupa el lugar de un sirviente.

La Voluntad humana, esa fuerza oculta,
el vástago de un Alma inmortal,
puede abrirse paso hacia cualquier objetivo
aunque se interpongan muros de granito.

No seas impaciente con el retraso,
espera como alguien que comprende;
cuando el espíritu se alza y se pone al mando,
los dioses están listos para obedecer.

ELLA WHEELER WILCOX
(cuyas palabras cita James Allen
en *Como un hombre piensa, así es su vida*)

En cada adversidad se halla la semilla
de un beneficio equivalente o mejor.
En cada problema se esconde una oportunidad.
Incluso en los reveses de la vida
podemos hallar grandes obsequios.

Inspirado por NAPOLEON HILL y el Bhagavad-Gita

Primero, tenemos una visión clara de la realidad;
segundo, identificamos lo que esperamos
en cuanto a la dirección que nos gustaría que tomaran las cosas
o a los valores que nos gustaría que se expresaran;
y tercero, hacemos lo posible por dirigirnos nosotros o conducir nuestra
situación hacia esa dirección.

JOANNA MACY y CHRIS JOHNSTONE
Active Hope

Cuando imaginas el mago que habita en tu interior,
estás evocando la fuerza creativa del universo
para que haga lo que tú desees.

La oportunidad del ser humano, nos dice la religión,
es trasformar nuestros destellos de conocimiento
en una luz duradera.

HUSTON SMITH

Debajo del plano de las apariencias físicas
y las formas separadas,
somos uno con toda la existencia.

ECKHART TOLLE
El poder del ahora

Soy un visionario, un mago;

en estos momentos estoy creando la vida de mis sueños,

de forma sencilla, apacible,

saludable y positiva,

en su momento idóneo

y para el mayor beneficio de todos.

Mi matrimonio y mi vida familiar

están colmados de gracia, facilidad y ligereza.

Que así sea. Así es.

¿Cuál es el Propósito de una Familia?

Protegerse y apoyarse entre sí,

formar una alianza,

respetarse, amarse y escucharse mutuamente.

Animarse entre sí a ser felices y estar sanos,

y ayudarnos a todos a alcanzar nuestros sueños más importantes.

La gratitud por el presente
y la plenitud de la vida
son ahora la verdadera prosperidad.

ECKHART TOLLE
El poder del ahora

Nunca comprenderemos las fuerzas de la creación.
Pero podemos ponerlas en funcionamiento
y volvernos a sentar, maravillados
por el misterio y la majestuosidad de todo.

No hagas planes humildes;
carecen de magia para despertarte la sangre…
Haz planes colosales;
eleva el listón con esperanza y esmero.

DANIEL BURNHAM
Arquitecto y planificador urbano

El espíritu me guía
en todo momento.
El espíritu me guía
para que halle y realice
mi llamada, mi vocación.
El espíritu me guía
para que desarrolle mi potencial
y manifieste la vida de mis sueños.
Que así sea. ¡Así es!

Nuestros pensamientos y oraciones de hoy
determinarán nuestra vida de mañana.
Atrévete a soñar y afirmar la vida
más sublime y maravillosa que puedas imaginar.

Ten en mente el sueño, la visión:

es posible crear un mundo adecuado para todos,

en el que todos tengamos alimentos, un hogar y educación.

Es la gran labor que tenemos frente a nosotros.

Puesto que todo es una ilusión

perfecta tal y como es,

sin nada que ver con la bondad o la maldad,

ni con que la aceptemos o rechacemos,

bien es posible estallar en carcajadas.

LONG CHEN PA

The Natural Freedom of Mind

No dudes jamás de que un

pequeño grupo

de ciudadanos clarividentes y comprometidos

puede cambiar el mundo.

De hecho, son los únicos que lo han logrado.

Margaret Mead

Si prevaleciera el amor por el prójimo en todo el mundo
la Tierra sería un paraíso
y el infierno una fábula.

CHARLES COLTON

En la vida del ser humano hay tres cosas importantes.
La primera es ser amables.
La segunda es ser amables.
Y la tercera es ser amables.

HENRY JAMES

La mente hace su propio lugar, y por sí sola
puede hacer un cielo del infierno y un infierno del cielo.

JOHN MILTON

En estos momentos estamos creando
un mundo adecuado para todos
en alianza los unos con los otros,
de forma sencilla, apacible,
saludable y positiva,
en su momento idóneo
y para el mayor beneficio de todos.

La felicidad que se deriva de una fuente secundaria
nunca es muy profunda.
Es sólo un pálido reflejo de la felicidad de Ser,
la paz vibrante que usted encuentra en su interior
cuando entra en el estado de no resistencia.

El hecho de ser nos lleva más allá de los polos opuestos de la mente
y nos libera de la dependencia en las formas.

Incluso aunque todo se derrumbara
y desmoronara a nuestro alrededor,
seguiríamos sintiendo una profunda paz interior.

Tal vez no seríamos felices,
pero estaríamos en paz.

ECKHART TOLLE
El poder del ahora

Ahora somos una fuerza vital,

un ejército de magos, visionarios, artistas, maestros,

emprendedores, empresarios y líderes

que trasformamos no solamente nuestra propia vida,

sino también todo el mundo,

contribuyendo a la creación de un mundo adecuado para todos,

de forma sencilla, apacible, saludable y positiva,

en su momento idóneo,

para el beneficio de todos.

Que así sea. Así es.

Estad bien.
Estad en paz.

Acerca del autor

Marc Allen es un autor y un orador conocido en todo el mundo. Sus libros, audios y seminarios han cambiado la vida de un gran número de personas.

Junto con Shakti Gawain, fundó la New World Library en 1977, y ha dirigido la empresa desde sus orígenes, cuando era una pequeña *start-up*, hasta su posición actual como una de las editoriales independientes más importantes de Estados Unidos. Es autor de varios libros, entre ellos *El secreto más grande del mundo*, *The Millionaire-Course* y *El emprendedor visionario*. También ha producido varios proyectos de audio, como *Stress Reduction and Creative Meditations* y un curso completo de descargas de audio, *Success With Ease: Creating the Life of Your Dreams*.

Además, es un compositor y un músico consumado, y ha grabado varios discos. Si deseas más información sobre Marc Allen y sus seminarios y teleconferencias, visita www.MarcAllen.com. Si deseas más información sobre su editorial, visita www.NewWorldLibrary.com. Para una degustación de su música, visita www.WalterCourseMedia.com.

Índice